Bianca

EL VIAJE DEL DESEO

Julia James

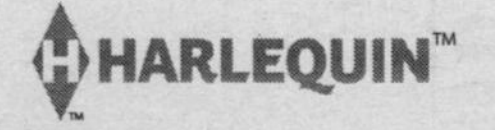

Editado por Harlequin Ibérica.
Una división de HarperCollins Ibérica, S.A.
Núñez de Balboa, 56
28001 Madrid

El viaje del deseo, n.º 2729 - 2.10.19
Título original: Heiress's Pregnancy Scandal
Publicada originalmente por Harlequin Enterprises, Ltd.

I.S.B.N.: 978-84-1328-486-6
Depósito legal: M-27189-2019
Impreso en España por: BLACK PRINT
Fecha impresion para Argentina: 30.3.20
Distribuidor exclusivo para España: LOGISTA
Distribuidor para México: Distibuidora Intermex, S.A. de C.V.
Distribuidores para Argentina: Interior, DGP, S.A. Alvarado 2118.
Cap. Fed./Buenos Aires y Gran Buenos Aires, VACCARO HNOS.

Este libro ha sido impreso con papel procedente de fuentes certificadas según el estándar FSC, para asegurar una gestión responsable de los bosques.

Capítulo 1

NIC FALCONE entró al casino por la puerta de servicio y miró a su alrededor. Sin duda, adquirir y reformar aquel hotel situado en el desierto del Oeste, suficientemente cerca de Las Vegas y de la Costa Oeste, había sido una buena idea. Otra prestigiosa mina de oro para Falcone, la cadena mundial de hoteles de lujo. Otra prueba de lo lejos que había llegado a sus treinta años, pasando de los suburbios de Roma a ser uno de los hombres más ricos de Italia.

El niño de los suburbios, y huérfano de padre, que había comenzado su primer trabajo con apenas dieciséis años en el sótano del famoso hotel Viscari Roma, había conseguido llegar tan alto como el playboy Vito Viscari, que había sido el heredero de la cadena hotelera de su familia.

La expresión de Nic se ensombreció al recordarlo. A base de esfuerzo había conseguido ascender en el Viscari Roma, hasta que por fin pudo dar el gran salto a un puesto de directivo para el que sabía que estaba completamente cualificado.

No obstante, el tío de Vito, presidente de la empresa, prefirió que su sobrino, un chico inexperto y recién salido de la universidad, empezara a relacionarse con su futura herencia.

Nic no fue tomado en cuenta y, desde ese momento, tomó la decisión de trabajar únicamente para sí mismo. La semilla de la cadena hotelera Falcone estaba plantada. Falcone sería el rival que absorbería a Viscari de una vez por todas.

Y mediante un gran esfuerzo que había absorbido todos los aspectos de su vida, Nic había alcanzado el éxito. Tanto que el año anterior había sido capaz de lanzarse como un halcón y aprovecharse de manera despiadada de la lucha de poder interna que tuvo lugar dentro de la familia Viscari y arrebatarles la mitad de la cartera de los Viscari mediante una adquisición hostil.

Sin embargo, resultó ser un triunfo convertido en ceniza. Una vez más, Nic había experimentado el efecto del favoritismo. La suegra de Vito había conseguido convencer a los inversores que habían hecho posible que Nic hiciera la adquisición, para que volvieran a venderle de nuevo los hoteles para que ella pudiera entregárselos a Vito, su yerno.

De nuevo, Vito había prosperado sin levantar un dedo, gracias a la ayuda de su familia.

No obstante, la determinación que había hecho que Nic saliera de los suburbios se apoderó nuevamente de él, y meses después de haber perdido la cartera del grupo Viscari, reaccionó creando una lista de potenciales propiedades para el grupo Falcone, incluyendo el lugar en el que se encontraba. El recién inaugurado Falcone Nevada, con su lucrativo casino.

Se fijó en que algunos de los jugadores acababan de llegar de la zona de conferencias del hotel, donde un grupo de astrofísicos estaban celebrando su encuentro anual, y también en un grupo de jóvenes que se alejaba del bar para dirigirse a la zona de juego. Una de las mujeres del grupo se separó de ellos y se despidió dándoles las buenas noches.

Una mujer que lo hizo detenerse. Era alta y elegante y tenía el cabello rubio.

Todo su cuerpo se puso en alerta al verla. Él había estado con muchas mujeres bellas, pero ninguna como aquella. Notó que se le tensaban los músculos del vientre y contuvo la respiración. La miró fijamente y un intenso deseo se apoderó de él…

Fran observó a los estudiantes de postgrado mientras compraban sus fichas. Era evidente que estaban disfrutando y aprovechando al máximo la última noche de la conferencia. Ella debía marcharse porque al día siguiente tenía que hacer una exposición antes de la sesión plenaria y necesitaba revisarla.

En cuanto se volvió para pedirle la cuenta al camarero, oyó que alguien le hablaba.

–¿No le apetece probar suerte en las mesas?

Era una voz grave, que tenía acento norteamericano, pero no parecía del oeste. Ella se volvió para mirarlo y no pudo contener su asombro.

«Guau», pensó.

Era un hombre alto y enormemente atractivo, de anchas espaldas, torso musculoso y cadera estrecha. Iba vestido con un esmoquin, pero todo indicaba que era un hombre duro.

«¿Será parte del equipo de seguridad?», se preguntó Fran, tratando de no pensar en el impacto que había causado en ella.

Durante un instante, se quedó paralizada. Una reacción que nunca había tenido con un hombre. Ni siquiera Cesare, el hombre con el que había estado a punto de casarse, había tenido el poderoso impacto que aquel hombre estaba teniendo sobre ella.

«¡No se parece en nada a los hombres que suelen resultarme atractivos!».

A excepción de Cesare, a ella solían gustarle los hombres con cara de estudiosos, y no los hombres musculados que siempre había considerado como un poco brutos. Sin embargo, aquel hombre no tenía nada de bruto. Y menos con unos ojos como esos, que portaban el brillo de la inteligencia.

«Son muy azules... Es extraño, porque el tono bronceado de su piel y el color de su cabello indican que podría ser de origen hispano...».

Mientras hacía esa reflexión se percató de que debía hacer algo aparte de mirarlo embobada. ¿Debía reparar en el comentario que él había hecho? Sabía que los hombres se sentían atraídos por las mujeres rubias y, normalmente, cuando alguien trataba de seducirla, solía mostrarse evasiva hasta que podía marcharse o el hombre decidía abandonar. Solo si era completamente necesario, los ignoraba.

Por el momento, se decidió por la primera opción, así que sonrió con timidez y negó con la cabeza.

–El juego no va conmigo –contestó ella, y escribió el número de habitación en la cuenta que le dio el camarero.

–¿Está participando en la conferencia?

–Sí –respondió ella.

Se movió para bajarse del taburete y él le ofreció

su ayuda. Ella lo miró y murmuró para darle las gracias, deseando poder mostrarse indiferente ante él.

Era imposible, teniendo en cuenta el impacto que él estaba teniendo sobre su persona.

La sonrisa de aquel hombre era tremendamente atractiva.

Fran se quedó sin respiración durante unos instantes.

–Siento mi comentario, pero ¡no tiene aspecto de astrofísica para nada!

Él esbozó una sonrisa que indicaba que su comentario era un cliché, y que no le importaba. El brillo de sus ojos azules indicaba por qué había dicho lo que había dicho.

Estaba dispuesto a hacer cualquier cosa por mantener la conversación.

Fran arqueó una ceja. Fuera lo que fuera aquello, no tenía nada que ver con que aquel hombre fuese un miembro del equipo de seguridad del hotel, si eso era lo que era. Y si no, si simplemente era otro huésped, tampoco cambiaba nada. Él trataba de darle conversación, y quizá lo mejor era que ella se despidiera y se marchara.

Excepto que no quería hacerlo. El latido acelerado de su corazón indicaba que estaba reaccionando ante ese hombre como nunca había reaccionado ante nadie, que le estaba sucediendo algo que nunca había experimentado.

–Y ha conocido a muchos astrofísicos en su vida, ¿no? –preguntó arqueando una ceja.

Él sonrió de nuevo. Ella tenía la sensación de que era un hombre que se sentía muy cómodo consigo mismo.

–Bastantes –contestó él.

Fran lo miró con los ojos entornados.

–Mencióneme a tres.

Él se rio. El sonido de su risa resultaba atractivo, igual que la mirada de sus ojos azules, su rostro y el resto del cuerpo. Todo ello estaba provocando cosas increíbles en ella.

«¿Qué me ocurre? Un hombre se pone a hablarme en el bar del casino de un hotel y, de pronto, me siento como si tuviera dieciocho años otra vez y no como una mujer sensata de veinticinco años, que escribe artículos científicos ininteligibles sobre cosmología en una prestigiosa universidad de la Costa Oeste».

Las académicas no se volvían locas solo porque un hombre atractivo les dedicara una sonrisa. Y menos, una mujer llamada doctora Fran Ristori.

Donna Francesca di Ristori. La hija de dos familias que pertenecían a la nobleza desde hacía siglos, una italiana y otra inglesa. Era la hija de *il marchese* d'Arromento, y la nieta de un importante noble británico, el duque de Revinscourt.

Claro que en los Estados Unidos nadie lo sabía, y a nadie le importaba. En el mundo académico solo contaban las investigaciones, nada más. Era algo que su madre, nacida como lady Emma y convertida en *marchesa* d'Arromento, nunca había comprendido. Igual que no había comprendido por qué Fran había dejado la vida para la que había nacido para satisfacer su deseo de aprendizaje.

Fran sabía que aquello había generado un distanciamiento entre ellas, y que el hecho de que hubiera aceptado casarse con alguien de la aristocracia italiana era lo que había provocado que su madre aceptara su carrera de investigación.

No obstante, el año pasado Fran había roto su relación con Cesare, *il conte* di Mantegna, el hombre con el que iba a casarse. Desde entonces, su madre apenas le dirigía la palabra.

–¡Era perfecto para ti! –había protestado su madre–. Os conocéis de toda la vida y él te habría permitido continuar con el estudio de las estrellas que tanto te gusta.

–Tengo una oferta mejor –fue todo lo que Fran había sido capaz de decir.

Era una oferta que su madre nunca habría podido apreciar, la emocionante invitación para unirse a un equipo de investigación dirigido por un hombre galardonado con un Premio Nobel, en California.

Fran se sentía aliviada por haber aceptado la oferta, y no solo por ella. Cesare era un buen amigo, y siempre lo sería, pero resultaba que estaba enamorado de otra mujer y se había casado con ella.

Fran se alegraba por Cesare y Carla, su flamante esposa, y por el bebé que habían tenido, y les deseaba que fueran felices para siempre.

Ella se había mudado a la Costa Oeste, donde había alquilado un apartamento. Allí disfrutaba del ambiente de uno de los centros de investigación de Cosmología más importantes del mundo y estaba entusiasmada de ser una asistente del famoso premio Nobel.

Sin embargo, el último semestre, el ilustre profesor había sufrido un ataque al corazón y se había jubilado anticipadamente. Su sucesor no era tan bueno como él y Fran había decidido buscar otro destino en otra universidad. En cuanto terminara aquella conferencia, se pondría a buscar de manera activa.

–Está bien, me rindo –dijo el hombre levantando las manos.

Al ver su sonrisa, Fran notó que se le aceleraba el corazón. No pudo evitar soltar una carcajada. Aquel hombre se mostraba tan seguro de sí mismo que hacía que resultara todavía más atractivo.

–Esta noche hemos tenido la cena de cierre de la conferencia, así que todos vamos vestidos con nuestras mejores galas. ¡Ninguno tenemos aspecto de científicos empollones!

Él la miró de arriba abajo.

–*Sicuramente no*.

Al oír sus palabras, Fran lo miró sorprendida.

–*Sei italiano?* –la pregunta escapó de sus labios antes de que ella pudiera evitarlo.

El hombre puso cara de sorpresa y satisfacción.

Fran se percató de que acababa de darle otro tema de conversación, pero no le importaba.

–Muchos norteamericanos lo son –dijo él en inglés–. ¿Y usted?

–Italiana por parte de padre. Inglesa por parte de madre –contestó Fran.

¿Por qué seguía dedicándole tiempo a aquel hombre musculoso cuando debía regresar a su habitación y repasar la presentación que debía exponer al día siguiente?

Solo sabía que él había provocado que se sintiera muy diferente de la académica sensata que sabía que era. Muy diferente a *donna* Francesca.

–¿Inglesa? Pensaba que era de la Costa Este.

–Viví allí un tiempo –contestó ella–. Mientras estudiaba el doctorado.

Oyó que sus compañeros gritaban en una de las mesas de *blackjack* y los miró un instante.

–Espero que no intenten ganar haciendo trampas –dijo ella–. Todos son buenos matemáticos, así que probablemente pudieran si lo intentaran, pero sé que a los casinos no les gusta…

–No se preocupe, los crupieres no permitirán que pase.

–Parece que sabe de qué habla –dijo ella.

Él asintió.

–Lo sé.

Ella lo miró. Parecía que definitivamente formaba parte del equipo de seguridad del hotel, aunque ella no estaba del todo segura.

En realidad, le daba igual.

–Entonces, ¿ha disfrutado de la conferencia? –le preguntó él.

Fran asintió. Él seguía dándole conversación, y a ella no le importaba.

–Sí… Mentalmente ha sido muy estimulante. Intensa, pero bien. Y este hotel… –gesticuló con la mano–. Este hotel es fantástico. No conozco muy bien la cadena de los Falcone, pero en este se han esmerado. La pena es que no he tenido tiempo de usar las instalaciones, ni siquiera la piscina. Mañana lo haré sin falta, antes de que nos vayamos. También es una lástima que no pueda hacer ninguno de los tours que ofrecen… ¡Ni siquiera el del Gran Cañón!

Nada más decirlo, se arrepintió. ¿Pensaría que estaba sugiriendo una invitación?

Para su tranquilidad, él no comentó nada al respecto y dijo:

–Me alegra que le guste el hotel… Se ha invertido mucho trabajo en él.

Fran percibió orgullo en su voz. Sin duda era parte del equipo de seguridad del hotel.

–Me gustaría más si no tuviera casino, pero claro, en Nevada…

–Los casinos generan mucho dinero –contestó él.

Desde la mesa de *blackjack* se oyó otro grito de alegría.

Fran se rio.

–Quizá esta noche ganen un poco menos.

–Quizá –contestó él, y la miró divertido. No obstante, momentos después se mostró inseguro.

Y a ella le gustó todavía más.

–Y quizá… –la miró como si no supiera qué podía responder ella–. Quizá, si le pregunto si puedo invitarla a una copa para celebrar que sus compañeros astrofísicos han ganado, ¿me dirá que sí?

Fran lo miró un instante antes de mirar hacia la mesa de juego donde estaban sus compañeros. Después, volvió a mirarlo a él, el hombre que había tratado de darle conversación y que se había decidido a dar un paso más.

¿Le apetecía aceptar la invitación? ¿O debía decirle que no con educación y marcharse a su habitación para repasar su presentación?

No, no quería marcharse a su habitación. Deseaba continuar con aquella conversación y prolongar aquel encuentro.

Fran sonrió y se subió de nuevo al taburete. Él no hizo ademán de ayudarla. Ella lo miró fijamente y le gusto lo que vio.

–¿Por qué no? –respondió.

Nic la miró de arriba abajo mientras ella se sentaba. En todo momento había dudado de que ella fuera a aceptar la invitación. Y eso formaba parte de su atractivo. Él estaba cansado de que las mujeres le prestaran tanta atención, y quizá por eso se mostraba huidizo sobre quién era en realidad, Nicolo Falcone, el multimillonario, fundador y propietario de la cadena hotelera Falcone.

Por ese motivo, miró al camarero a modo de advertencia y, cuando el empleado asintió de forma tranquilizadora, él le pidió la bebida. Un Campari con soda para ella y un bourbon para él. Después, Nic se sentó en un taburete junto a ella.

–Entonces, ¿usted también interviene en la conferencia?

–Sí, hago una pequeña presentación acerca de los resultados de mi actual investigación. Es para mañana, antes del plenario final.

–¿De qué se trata? ¿Cree que al menos comprenderé el título? –añadió él con humor.

En esos momentos, él sintió que la belleza de Fran iluminaba el ambiente. Ella provenía de un mundo completamente diferente.

La observó mientras bebía un sorbo de su copa y admiró sus delicados dedos. Llevaba un vestido de cóctel de precio medio, el cabello recogido en un moño y muy poco maquillaje. Tenía aspecto de lo que era... Una académica vestida para aquella velada.

El deseo se apoderó de él.

Ella le estaba hablando y él le prestó atención, tratando de controlar su respuesta primitiva.

Fran hablaba con entusiasmo, lo que demostraba su pasión por lo que hacía.

–Mi campo de investigación es la cosmología, comprender los orígenes y el destino del universo. La presentación trata de un pequeño aspecto de eso. Estoy analizando datos mediante un modelo informático, y probando varias opciones sobre la geometría y la densidad del espacio, que nos indicarán si el universo es abierto o cerrado, por decirlo de la manera más sencilla.

Nic frunció el ceño.

–¿Y eso qué quiere decir?

–Bueno, si está abierto la expansión que comenzó con el Big Bang provocará que la materia del universo se disipe, así que no habrá estrellas, planetas, galaxias ni energía. Se llama muerte térmica del universo y sería muy aburrido. Así que yo estoy buscando datos acerca de un universo cerrado que pueda provocar que todo colapse y se produzca otro Big Bang, que haría que renaciera el universo. ¡Sería mucho más divertido!

Nic bebió un sorbo de bourbon, y notó el calor del líquido en su garganta.

–¿Y cuál es la teoría verdadera?

–Nadie lo sabe, aunque por el momento se tiende a pensar que es abierto. Hay que aceptarlo, aunque a mí no me guste.

Nic negó con la cabeza.

–No. Yo no me lo creo.

Ella lo miró con curiosidad.

–Nunca debemos aceptar lo que no nos gusta. Es derrotista –apretó los labios–. Está bien, quizá se pueda aplicar al universo, pero no a la humanidad. Podemos cambiar las cosas, y depende de nosotros. No tenemos que aceptar las cosas como son.

Fran lo miró con curiosidad.

–Parece que está muy convencido –lo miró un momento a los ojos.

Él se encogió de hombros, como si estuviera impaciente.

–No podemos aceptar las cosas sin más.

–A veces hay que hacerlo. Hay cosas que no podemos cambiar. Por ejemplo, quiénes somos. O dónde hemos nacido…

«Por ejemplo, yo nací siendo *donna* Francesca, me guste o no. Es parte de mi legado, una parte indeleble. A pesar de todos los cambios que haya hecho en mi vida, no puedo cambiar mi nacimiento».

–¡Eso es exactamente lo que podemos cambiar! –contestó él, y bebió otro sorbo de bourbon. Los malos recuerdos se estaban apoderando de él. Su madre, abandonada por el hombre que era el padre de su hijo, y abandonada también por todos los hombres con los que había mantenido una relación. O peor aún. Sus recuerdos se ensombrecieron al pensar en el violento hombre que estuvo golpeándola hasta que Nic fue lo suficientemente fuerte como para enfrentarse a él y protegerla.

«¡Yo tuve que cambiar mi vida! Tuve que hacerlo solo. Por mí mismo. No había nadie para ayudarme. Y la cambié».

Ella lo estaba mirando y sus ojos de color gris claro mostraban curiosidad.

–Entonces, quizá deberíamos recordar esa vieja oración que pide que tengamos el valor para cambiar lo que podamos, pero la paciencia para aceptar lo que no podemos cambiar, y la sabiduría para saber la diferencia.

–No –dijo Nic–. Yo quiero cambiar todo aquello que no me gusta.

Ella soltó una carcajada.

–Bueno, no podría ser científico. Eso seguro –dijo ella.

Él soltó una carcajada y se sorprendió al pensar que había hablado con aquella mujer sobre sus sentimientos más profundos, más de lo que había hablado con cualquier otra persona. Le sorprendía haberlo hecho con una mujer que apenas había conocido veinte minutos antes.

«Yo nunca mantengo conversaciones así con las mujeres. Entonces, ¿por qué lo he hecho con esta?».

Debía de ser porque era científica. Nada más.

«Es una mujer muy bella, y quiero conocerla un poco más. No obstante, en mi vida ha habido muchas mujeres bellas. Ella es una más».

Aquella mujer era diferente porque era una talentosa astrofísica cuando él solía interesarse por mujeres que priorizaban pasar un buen rato divirtiéndose, y eso a él le permitía sacar adelante su obsesión por construir su imperio personal. Mujeres que no querían compromiso. Más de lo que él podía darles.

Aunque no estaba allí para pensar en las mujeres que habían pasado por su vida, sino para aprovechar al máximo el tiempo que estaba con aquella.

Ambos se habían terminado la copa y él sabía que había llegado el momento de despedirse, aunque no le apeteciera. Ella no era el tipo de mujer a la que le gustara que le presionaran. Él se había dejado llevar por el impulso que le había hecho cruzar el casino para acercarse a ella, y con eso era suficiente.

Le hizo un gesto al camarero para que le llevara la cuenta y se aseguró de que solo él viera que escribía *Falcone* en el ticket, antes de ponerse en pie.

Fran se levantó también. Estaba sorprendida por la mezcla de emociones que sentía, pero sonrió y dijo:

–Gracias por la copa.

Él pestañeó y contestó:

–Ha sido un placer. Y gracias por la clase de ciencias –añadió, con una tierna sonrisa.

–De nada –contestó Fran.

Ella se dirigió a los ascensores. Era consciente de que él la estaba mirando. ¿Se estaba arrepintiendo de que él hubiera finalizado el encuentro? Era imposible.

Sin embargo, aunque racionalmente sabía que debía ser así, otra parte de su cuerpo se arrepentía de que ella tuviera que regresar a su dormitorio.

La sensación de inquietud la invadió de nuevo. La relación con Cesare había terminado hacía mucho tiempo y, en cualquier caso, nunca había sido una relación física. Ella sabía que eso debía esperar a que estuvieran comprometidos de verdad, incluso hasta la noche de bodas, ya que Cesare era un hombre tradicional de origen italiano.

No muchas personas habrían entendido su relación y, teniendo en cuenta que se conocían de toda la vida, tenía sentido que se casaran algún día. Hasta entonces, los dos eran independientes y ella sabía que Cesare, un hombre muy atractivo, con una buena posición social y gran riqueza, había tenido varias aventuras románticas. Él había aceptado que hasta que no estuvieran casados, ella también podría tener las aventuras amorosas que quisiera. Ella solo había tenido un par de relaciones en su vida. La primera con un estudiante de Cambridge y la segunda, con un académico mientras estaba estudiando en la Costa Este.

Siempre se habían citado para ir a conciertos, películas o teatros. La pasión no había formado parte de ellas, y eso a Fran no le había importado. Después de todo, pensaba que algún día se casaría con Cesare.

Aunque al final no hubiera sido así.

Era libre y no tenía ataduras. Podía buscar una aventura, y darse un respiro de las exigencias de la investigación.

Ser libre para conversar con aquel hombre atractivo y musculoso que tenía los ojos más azules que ella había visto nunca. Y menos en un hombre de origen italiano. Un hombre de sonrisa relajada, conversación lacónica, y cuya mirada le indicaba lo mucho que la apreciaba.

Ella presionó el botón del ascensor y notó que su nerviosismo aumentaba a medida que subía hasta la planta donde se encontraba su habitación.

Una vez dentro de ella, miró la carpeta con sus apuntes, pero no la abrió. Se quitó la ropa, se cepilló el pelo y se retiró el maquillaje, preguntándose por qué todavía no se le había calmado el latido del corazón.

Una vez dormida, sus sueños fueron intensos e inquietantes.

Capítulo 2

LA CONFERENCIA estaba a punto de concluir y los participantes se alababan unos a otros. Fran flexionó los dedos, cansados después de haber estado tomando notas todo el tiempo. Se sentía confusa. Tenía el vuelo para regresar con sus colegas a la Costa Oeste esa misma tarde, pero no quería hacerlo. Le apetecía disfrutar de las instalaciones del hotel y ¿por qué no iba a hacerlo? No había tenido vacaciones desde hacía un año y necesitaba un descanso. ¿Por qué no tomárselo allí mismo?

No quería pensar en si el chico del equipo de seguridad con el que había estado hablando la noche anterior había influido en la decisión. Simplemente había sido un catalizador, eso era todo.

Una vez tomada la decisión, su nerviosismo disminuyó. Ya les había comentado a sus compañeros que iba a quedarse unos días más en el hotel.

Sonriendo, ellos le comentaron que se marchaban a Las Vegas para ver si seguían teniendo suerte en el juego. Fran les deseó buena suerte y se despidió de ellos. Las Vegas era un lugar que ella no quería conocer.

No, si iba a algún sitio sería al desierto, o incluso a una de las excursiones al Gran Cañón que organizaba el hotel, decidió mientras se dirigía a la recepción para reservar de nuevo su habitación.

Allí recogió los folletos de las excursiones y después se dirigió al restaurante que había junto a la piscina para comer algo mientras repasaba los apuntes de la conferencia.

Mientras se comía la ensalada, se preguntó si volvería a ver al chico del día anterior. Quizá, como había trabajado la noche anterior, no estuviera durante el día por allí. O a lo mejor no mostraba más interés en ella. O quizá...

–Hola, ¿ya se ha acabado la conferencia?

Fran oyó una voz grave y volvió la cabeza. Al ver al hombre musculoso de la noche anterior, se estremeció. Esa vez no iba de esmoquin, sino con un polo de color vino tinto con las palabras «*Falcone, Nevada*» escritas en él, y el dibujo de un halcón con las alas extendidas. Ella deseó acariciar el contorno del dibujo que mostraba sobre su pecho.

Notó que se le aceleraba el corazón.

–Ya terminó. Solo me falta repasar las notas –señaló el montón de papeles que tenía en la carpeta.

Él la miró un instante y dijo:

–¿Puedo...? –preguntó mirando la silla que quedaba libre junto a la mesa.

Fran sabía que era libre para responder algo como: «Lo siento, pero tengo que revisar mis apuntes ahora que los tengo recientes», y que él aceptaría su negativa y se marcharía.

No obstante, ella respondió con una sonrisa:

–Por supuesto.

De nuevo, sintió que la excitación se apoderaba de su cuerpo al volver a verlo. Fuera lo que fuera, le estaba sucediendo algo que no le había sucedido nunca.

Y permitiría que pasara. Mentalmente ya había tomado la decisión, así que, mientras él se sentaba, ella supo que permitiría que él continuara con sus intenciones.

Aunque fuera más inexperta que muchas mujeres de su edad, sabía reconocer cuando un hombre trataba de ligar con ella. Y aquel hombre estaba decidido a hacerlo.

Por tanto, no se sorprendió al oír sus palabras.

–Me alegro de que haya decidido no marcharse todavía.

Ella lo miró un instante. Era evidente que él había hablado con la recepción y se había enterado de que había ampliado su reserva.

Nic la miró también. Se había puesto el polo con el logotipo del hotel para confirmar sus sospechas acerca de que él era uno de los empleados. Eso le venía bien.

–¿Se alegra? –preguntó ella.

–Me alegro de que pueda disfrutar de las actividades de ocio que se ofrecen... ¿Y quizá también pueda hacer una excursión?

Nic miró el folleto del hotel donde se ofrecían excursiones personalizadas a cualquier lugar del oeste de los Estados Unidos. Cerca o lejos de allí.

–¿Quizá le apetezca empezar con el paseo que se da a la puesta de sol esta tarde? –preguntó él, con un brillo en la mirada.

Fran frunció el ceño y notó que se le aceleraba el corazón. No había visto esa excursión en el folleto.

–Es una de nuestras excursiones personalizadas. Se sale de aquí al atardecer y se va a un sitio especial a ver la puesta de sol. Son solo un par de horas. Estará aquí para la cena.

Nic puso una amplia sonrisa y entornó sus ojos azules.

Fran se lo pensó un instante antes de dar la respuesta.

–Suena bien –dijo ella.

–Estupendo.

Su tono era de satisfacción. Aquel hombre no ocultaba sus intenciones, y ella no estaba segura de si aquel paseo era parte de las ofertas del hotel o si era una excursión que él había preparado solo para ella.

No tenía duda de que él iba a ser el guía de aquella excursión, y ella la única viajera, pero no le importaba.

Él se puso en pie y la miró con una sonrisa.

–Iré a organizarlo –dijo. Se despidió con la mano y se marchó.

Fran lo siguió con la mirada y sonrió. Se sentía inquieta, mentalmente agotada por la conferencia y por el hecho de haber estado un año centrada en su compromiso con Cesare, hasta que se dio cuenta de que eso no era lo que deseaba en su vida.

De pronto, sentía que el futuro la esperaba. Un futuro propio, que tenía que ver con otras cosas aparte de su carrera profesional. Un futuro lleno de aventuras…

Y si esas aventuras incluían a un hombre que dejaba claro que ella le agradaba, igual que a ella le agradaba él, apostaría por ellas.

Notó que se le aceleraba el pulso una vez más y no le importó.

–Espera, deja que te ayude.

Nic ayudó a Fran a subirse al vehículo que había

aparcado frente al hotel y se sentó al volante. Se había cambiado de ropa y llevaba una camisa vaquera, pantalones vaqueros y botas, y se fijó en que ella también se había puesto una blusa, unos pantalones de algodón y un calzado cerrado.

–Marchando una de puesta de sol –dijo él con una amplia sonrisa.

Fran se alegró de llevar puestas las gafas de sol, y también de haber aceptado la invitación a la excursión.

Él arrancó el motor y condujo hasta la carretera principal.

–Entonces, ¿ha disfrutado de su tarde, doctora Ristori?

Era una pregunta educada, y ella contestó amablemente, suponiendo que él sabía su nombre por la hoja de registro del hotel.

–Sí, he revisado mis apuntes y me he dado un baño en la piscina. Una tarde muy relajada.

–¿Y por qué no? Está de vacaciones... Y es su elección.

Él la miró a través de las gafas de sol y sonrió. Era una sonrisa amistosa, pero que indicaba que detrás de la palabra «elección» se escondían más cosas aparte de si ella había elegido una tarde relajada o no.

Había muchas más cosas que podía elegir.

Ella contestó con una sonrisa y miró a otro lado, fijándose en cómo la carretera polvorienta se adentraba en un paisaje desértico.

Él no volvió a hablar y, más adelante, giró en un camino que rodeaba un acantilado y terminaba en un collado donde se veía todo el valle. Allí aparcó.

Al salir del coche, el silencio los envolvió. Nic se

puso un sombrero de ala ancha, le entregó otro a ella y Fran se lo puso sin decir nada. Entonces, él agarró una mochila con dos botellas de agua y el kit de emergencia obligatorio.

–Hay que caminar como diez minutos –dijo Nic, y empezó a subir por un camino.

Fran lo siguió. A medida que ganaban altura vio cómo la luz del valle parecía dorada bajo el cielo azul. Parecía que estuvieran muy lejos de todos los sitios. Al cabo de unos minutos llegaron a un lugar plano con vistas al valle y se sentaron, apoyándose en una roca.

–Ahora tenemos que esperar –dijo Nic.

Le entregó una botella de agua y Fran bebió. Él hizo lo mismo. Ante sus ojos, el sol comenzaba a descender por el horizonte y Fran se quedó contemplándolo mientras el cielo se teñía de colores anaranjados antes de que el sol se ocultara del todo y empezara a oscurecer.

Se quitó las gafas de sol y vio que él hacía lo mismo antes de mirarla.

–¿Ha merecido la pena? –preguntó él.

–Oh, sí –contestó ella.

Fran lo miró unos instantes y ambos intercambiaron algo. Algo que parecía acompañar a aquel paisaje tranquilo y desolado, pero tremendamente bello y especial.

–No sé cómo se llama –dijo ella, sin pensar demasiado y frunciendo el ceño, como si le resultara sorprendente que hubiera compartido aquel momento con él sin saber su nombre.

Él sonrió y extendió su mano hacia ella.

–Nic –le dijo–. Nic Rossi.

Él le dijo su nombre de nacimiento a propósito. No quería complicaciones, quería que todo fuera muy sencillo.

Ella le estrechó la mano y percibió algo más, aparte de su fuerza y su calor.

–Fran –dijo ella, y sus miradas se encontraron. Ambos debían reconocer que, a partir de ese momento, ella ya no era una huésped del hotel y él no era parte del equipo de seguridad, o fuera cual fuera su cargo allí. Aquello era algo que sucedía solo entre ellos.

–Doctora Fran –murmuró Nic, y la miró de arriba abajo–. Le pega.

Sin soltarla de la mano, se puso en pie y la ayudó a hacer lo mismo

–Tenemos que bajar antes de que no haya luz –dijo él, y emprendieron el camino hacia el coche–. ¿Tiene hambre? –preguntó Nic–. Si no quiere regresar al hotel, conozco un lugar cerca de aquí...

Ella sonrió y tardó unos instantes en contestar.

–Algo diferente al hotel suena bien.

Nic arrancó el vehículo y, al cabo de un rato, lo detuvo de nuevo frente a un restaurante de carretera.

Era el típico restaurante del oeste, con un ambiente relajado. Cenaron en una mesa con vistas al desierto. Fran pidió un té con hielo y Nic una cerveza. Ambos carne para comer.

El filete de Fran era tan grande que ella cortó un pedazo y lo colocó en el plato de Nic.

–Tiene que alimentar sus músculos –le dijo con una sonrisa, negándose a pensar que era un gesto demasiado íntimo.

Nic se rio.

–Te lo cambio por mi ensalada –dijo él, y empujó el cuenco hacia ella.

–¡La ensalada es buena para ti! –protestó ella, y lo empujó de nuevo.

Él todavía tenía la mano sobre el cuenco. ¿Fran había rozado sus dedos con la mano? No estaba segura. Solo sabía que, al retirar la mano, notó una especie de corriente eléctrica.

Comenzó a comerse el filete. Hizo un comentario sobre su ternura. Cualquier comentario.

«¿Qué estoy haciendo?».

La pregunta era innecesaria. Sabía muy bien lo que estaba haciendo.

«Tengo una cita. No es oficial, ni planeada, pero es una cita. Hemos visto la puesta de sol juntos y, ahora, estamos cenando».

¿Y qué harían después?

Esa pregunta no se la contestó. No quería hacerlo todavía. No en ese momento.

Así que preguntó algo sobre el desierto. Después de todo, él trabajaba en aquella zona y debía de saber más que ella. Al margen de dónde fuera él originalmente, era más nativo que ella.

Nic contestó a sus preguntas sobre la zona, aunque a veces se encogía de hombros y decía que no sabía la respuesta. Entonces, se la preguntaban a algún cliente de otra mesa que pareciera local. Estos pensaban que eran turistas.

Y también que eran pareja.

Fran no les aclaró la situación.

«¿Y si lo fuéramos?».

La idea surgió en su cabeza e hizo que ella especulara sobre la situación. Era tentador. ¿Por eso estaba cenando con él? ¿Porque aceptaba que estaba dispuesta a llegar más lejos con él?

¿Y cómo de lejos?

¿Una relación? No, quizá ni siquiera eso. Una... una aventura. Algo fuera de lo habitual. Algo que solo pasaría una vez porque ambos provenían de mundos diferentes.

«Eso no es importante».

Ella lo miró de arriba abajo y volvió a notar una especie de corriente eléctrica. No sabía por qué, solo que era intensa y poderosa.

«¿Por qué no aprovechar la oportunidad si aparece? Necesito superar lo de Cesare. Necesito algo diferente. Sería bueno para mí hacer algo diferente en mi vida».

¿Y Nic Rossi la ayudaría a conseguirlo?

La pregunta permaneció en su cabeza mientras terminaron de cenar. Nic se acomodó en la silla para relajarse.

«Es muy sexy», pensó ella.

Era algo que nunca había dicho de ningún hombre. Ni siquiera de Cesare. Frunció los labios. Cesare hubiera odiado que una mujer lo llamara sexy. Nic, sin embargo, parecía acostumbrado.

«Él lo sabe. Se nota. Es parte de él. No es que sea arrogante, ni soberbio... Es solo... Bueno, es así. Y se alegrará de que yo piense de esta manera».

No era necesario que especulara sobre ello. Lo único que necesitaba era contestar a lo que él le preguntaba.

–¿Te apetece un helado?

Fran sonrió. Era una pregunta fácil.

–Sí. Por supuesto –contestó.

Regresaron al hotel cuando la luna salía por el este y las estrellas iluminaban el cielo. Nic había visto que Fran miraba hacia el cielo mientras se subían al coche y se le ocurrió una idea:

–¿Te gustaría ir mañana a ver la zona del sudoeste?

Ella lo miró.

–¿Podemos verla en un día? –preguntó, dándose cuenta más tarde de que había hablado en plural.

–Si salimos pronto, sí –dijo Nic–. ¿Qué te parece?

–¡Genial! –contestó Fran con entusiasmo–. Como física teórica utilizo los datos que me proporcionan los físicos observacionales para demostrar mis teorías. Es un privilegio ir a conocer de dónde consiguen esos datos. El South-West Array empieza a entrar en funcionamiento…

Fran sacó el teléfono del bolso y lo miró.

–Nic, ¿podemos ir? Puedo escribirles esta noche y ver si mañana puedo contactar con alguna de las personas que estén allí… Aunque quizá a ti te parezca aburrido.

De pronto, se preguntó si debía haber dicho tal cosa. ¿Quizá fuera otra excursión de las que organizaba el hotel? Aunque no lo creía. Y menos después de haber compartido una cena con él.

«Esto no tiene que ver con su trabajo, ni con el mío. Tiene que ver con nosotros».

Se percató de que Nic le estaba diciendo algo y lo miró.

–Puedes darme otra clase de física por el camino –dijo él–. Una versión elemental, claro está.

Ella sonrió.

–La física suele ser sencilla, ¡la matemática es lo que es difícil!

Él soltó una carcajada y ella se estremeció. Momentos después llegaron al aparcamiento del hotel y él la ayudó a bajarse del coche, manteniendo su mano agarrada un instante más de lo necesario.

Nic abrió una puerta lateral del hotel y llegaron a un pasillo que llevaba hasta el recibidor.

En ese momento, una persona salió de una oficina.

–Buenas noches, jefe.

Nic saludó con la cabeza al empleado y Fran murmuró:

–¿Jefe?

–Es de mi equipo –contestó Nic.

Llegaron a los ascensores y Nic se alegró de que no hubiera más empleados a su alrededor.

–Te acompañaré hasta tu habitación –dijo él, y entró con ella en el ascensor.

Fran no puso ninguna objeción, pero, de pronto, fue consciente del reducido espacio en el que se encontraban y de lo cerca que estaba de Nic. ¿Intentaría besarla? Se puso tensa al pensar en ello. No estaba segura de si era lo que deseaba o no.

Sin embargo, él no hizo nada aparte de esperar a que ella abriera la puerta de su habitación y se volviera para darle las buenas noches.

–Gracias por lo de esta noche –dijo él–. Ha sido muy agradable.

Nic habló con tono suave y la miró con una sonrisa. Pestañeó y, cuando ella lo miró, inclinó la cabeza y la besó en los labios.

Era un beso diferente a los que ella conocía. Un beso lento, deliberado y con un único propósito. Contarle lo que podría tener si ella quisiera.

Ella se entregó al beso, cerró los ojos y se apoyó en la puerta, dejándose llevar por la sensación.

Él se movía con suavidad sobre sus labios y, en un momento dado, se los separó y empezó a explorar el interior de su boca.

Fran notó que una intensa ola de calor se apoderaba de ella. Era más intensa y sensual de lo que ella había sentido nunca y provocó que ella empezara a besarlo también. Al cabo de unos instantes, él se separó y ella abrió los ojos y lo miró. Se sentía confusa y mareada. Él sonrió al ver cómo había reaccionado ante su beso.

–Buenas noches, doctora Fran –dijo él–. Que duermas bien.

Ella contestó y él comenzó a avanzar por el pasillo. Al verlo llegar al ascensor, Fran supo que fuera lo que fuera lo que él deseaba tener con ella, ella también lo deseaba.

Aquella noche, Nic no durmió bien en la suite que había reservado para él. Estaba mirando al techo con los brazos detrás de la cabeza. Se sentía inquieto, y con una mezcla de satisfacción y anticipación.

¡Cómo deseaba haberse quedado con ella! El beso había sido como meter el dedo en un tarro de miel para probar su dulzura, y sabía que a ella le había parecido tan placentero como a él. A pesar de que también le había indicado que ella era una mujer a la que le gustaba ir despacio. Era una mujer madura y muy inteligente, que tomaría sus propias decisiones acerca de mantener una aventura romántica con él en su preciso momento y a su manera.

Si decidía hacerlo, y él confiaba en que fuera así, no la tendrían en el hotel. A él le gustaba que ella no supiera que era Nicolo Falcone, y, si se quedaban allí, acabaría descubriéndolo en algún momento. El encuentro que había tenido con un empleado en el pasillo le había dejado claro que era inevitable que pasara. No, era mucho mejor que se marcharan a un lugar donde él no fuera conocido para que simplemente siguiera siendo Nic Rossi para ella.

Nic Rossi, su nombre de nacimiento, y el que abandonó hacía muchos años cuando se decidió a forjar su imperio. Le resultaba extraño usarlo otra vez. Tan extraño como recordar cómo había compartido sus sentimientos y creencias durante la primera conversación que tuvo con ella la noche anterior. Su idea de no aceptar las cosas malas de la vida y la posibilidad de convertirse en alguien nuevo a base de esfuerzo, decisión y dedicación.

Empezó a pensar en su deseo de inaugurar un hotel de lujo en Manhattan. No era un proyecto fácil ni barato, pero finalmente lo conseguiría. Siempre lo hacía. Siempre. La determinación de tener éxito en su negocio nunca lo dejaba.

Ni la de tener éxito en otros frentes más placenteros.

Volvió a pensar en la atractiva mujer rubia, la encantadora doctora Fran. Sola en su cama… sola, por una última noche.

Nic sonrió, y el deseo se apoderó de él una vez más.

–¡Oh, guau! –exclamó Fran al ver la vista desde el coche.

Era como algo sacado de una película de ciencia ficción, de otro mundo, con grandes antenas parabólicas para captar hasta el más mínimo sonido del espacio.

El lugar estaba vallado, pero ellos se dirigieron al centro de visitantes. Fran se presentó diciendo que trabajaba en su universidad y, enseguida, uno de los técnicos se ofreció a mostrarles el lugar.

Nic estaba impresionado con los logros que había conseguido la ingeniería, pero apenas comprendía una palabra de la conversación que mantenían los expertos en el tema. Se alegraba de ver que ella se mostraba realmente interesada y que su interés potenciaba su belleza.

Cuando por fin se marcharon del complejo ella estaba muy agradecida. Él sonrió.

–Esta mañana hemos disfrutado de tu capricho. Esta tarde, disfrutaremos del mío. Te gustará, te lo prometo.

Nic le mostró cuál era su capricho. Condujeron hasta un lago y comieron en un café que estaba junto a la orilla. Después, Nic se dirigió al muelle y alquiló una potente motora.

En cuanto aceleró, Fran se agarró a la barandilla y notó que su cabello volaba al viento. La motora atravesaba el lago a toda velocidad y la proa golpeaba contra el agua con fuerza, como si fuera cemento. De pronto, ella soltó unas palabras en italiano y, al oír que Nic se reía, supo que había entendido sus palabrotas y su comentario acerca de si era un loco que quería matarlos.

–¡De ninguna manera! ¡Estás tan segura como un bebé! –le gritó, en italiano también.

Él atravesó el lago a lo ancho y después hizo un viraje pronunciado, provocando que el sol se reflejara en las gotas de agua y salieran miles de arcoíris. Finalmente, regresó al muelle.

Justo antes de llegar disminuyó la velocidad y se volvió hacia Fran. Tenía el cabello enredado y los ojos brillantes de alegría. Nic la rodeó por los hombros y la estrechó contra su cuerpo.

–¿Ha sido divertido?

No hacía falta que se lo preguntara. Se notaba en su rostro. Ella apoyó la cabeza sobre su hombro.

–Lo más divertido que he hecho nunca –dijo.

–Me alegro –repuso él, y la besó en la frente.

Era un gesto tan delicado, con su brazo alrededor de ella... Estaban sentados uno al lado del otro y él llevaba la otra mano en el timón, guiando el barco con suavidad, como si fuera Cesare en uno de sus caballos purasangre.

Fran pestañeó y se preguntó por qué estaba pensando en Cesare en esos momentos.

Nic se fijó en que le había cambiado la expresión de la cara.

–¿Qué pasa? –preguntó.

Ella lo miró y se separó un poco de él, pero no lo soltó.

–Estaba pensando en el hombre con el que estuve a punto de casarme –dijo ella.

Nic se quedó paralizado. Le resultaba imposible imaginársela casada o incluso comprometida con otro hombre. No, cuando él la deseaba tanto.

–¿Qué pasó? –preguntó sin pensar.

–Decidí dejarlo –dijo ella–. Me acababan de ofrecer una plaza de investigación en la Costa Oeste para trabajar con un premio Nobel y no pude resistirme. Y, además, estaba segura de que Cesare estaba liado con otra.

–Entonces, estaba loco –declaró Nic–. Loco por preferir a otra mujer.

Ella soltó una risita.

–Gracias –repuso–. Él y yo… nunca… Bueno, ya sabes. No teníamos una relación. Era más una expectativa… Nos conocíamos de toda la vida. Y lo nuestro, habría funcionado.

–¿Cesare? –dijo Nic, reparando en el nombre italiano–. ¿Esto era en el viejo mundo?

–Así es –contestó ella, pensando en cómo las fincas de Cesare formaban parte del viejo mundo.

Nic decidió que no quería saber nada más acerca del hombre con el que ella había estado a punto de casarse y aceleró de nuevo. En aquellos momentos, deseaba ser el único hombre de sus pensamientos.

Y de sus deseos.

Sin dejar de abrazar a Fran, dirigió el barco hacia otro rumbo y dijo:

–Vayamos a ver lo que hay al final del lago.

El sol se estaba poniendo cuando devolvieron el barco. Nic se volvió hacia ella. Tenía el cabello alborotado y la piel sonrosada por el sol. Su aspecto era encantador.

–¿Y ahora qué? –preguntó él.

La pregunta indicaba que dejaba la decisión en manos de Fran. La elección de lo que podía pasar, o no pasar, entre ellos

Fran dudó un instante.

–Estamos muy lejos del Falcone –comentó ella–. ¿Quizá demasiado lejos? –miró hacia el motel que había en un pequeño risco.

–No está a la altura del Falcone, pero puede pasar –dijo Nic.

Su tono era neutral. No quería demostrar que se alegraba por el hecho de que ella también quisiera pasar más rato con él.

–¡Lo dice un empleado fiel de la famosa cadena Falcone! –contestó ella sonriendo.

Después, asintió, como si estuviera tomando una decisión en silencio. Quizá al hablar de Cesare, había confirmado sus sentimientos. Y que fuera lo que fuera lo que estuviera pasando entre Nic y ella, deseaba que pasara.

–De acuerdo… –respiró hondo–. Vamos a por ello.

Aun así, una vez en la recepción, ella reservó dos habitaciones separadas. Y no solo porque de otra manera habría sido muy evidente. Sin duda, necesitaba un baño y una habitación para ella sola. Tenía el cabello enredado y la ropa mojada y sucia.

Por suerte, había una pequeña tienda en la recepción y ella entró a verla.

Una hora después, había llegado el momento de

encontrarse con Nic en el bar del motel. Cuando él se levantó para saludarla, ella se rio.

–¡Qué casualidad!

Al parecer, ambos habían entrado en la tienda y, además de comprar útiles de aseo, se habían comprado una camiseta. Los dos llevaban la misma, con el nombre del lago. Fran en rosa y Nic en azul.

Aunque Nic llevaba los mismos pantalones que durante el día, Fran había encontrado una falda de algodón que le llegaba hasta media pierna. Su melena recién lavada caía sobre sus hombros, y de maquillaje solo llevaba un poco de rímel y brillo de labios.

Ella sabía que Nic la encontraba atractiva.

Igual que a ella le parecía atractivo él. Estaba recién afeitado y llevaba el cabello húmedo. Su camiseta azul hacía juego con sus ojos y resaltaba la musculatura de su torso.

–Tu aspecto es tan de hombre italiano… –dijo ella, mientras llevaban sus cócteles a una mesa con vistas al lago. Ella lo miró un instante–. Me pregunto de dónde has sacado esos ojos tan azules. ¿De algún antepasado normando que entró en la península para formar un nuevo reino?

A Nic le gustó la idea. Formaría su propio reino. El reino de los Falcone.

–¿Y qué me dices de tu cabello rubio y de tus ojos grises? –preguntó él–. ¿Son por parte de tu madre inglesa?

Ella asintió. No quería hablar de su familia porque no quería mezclar el tema con lo que estaba pasando en ese momento. Allí con Nic, era la doctora Fran y eso era todo lo que deseaba ser.

El hecho de que a su madre, lady Emma, le hubiera resultado incomprensible que su hija quisiera largarse con un hombre que trabajaba en el equipo de seguridad de un hotel le parecía irrelevante. Su otra identidad, como *donna* Francesca, también era irrelevante, como siempre que estaba en los Estados Unidos, ya fuera en la universidad, o allí con Nic.

Y Nic era eso, solo Nic. Y ella no quería que fuera de otra manera. Él tenía un carácter marcado, y era evidente que conocía su valor, pero que no necesitaba demostrarlo. Por eso, le gustaba todavía más.

Él le preguntó cómo se había convertido en astrofísica y ella le contestó:

–En el colegio me enamoré de la ciencia, porque explicaba todo acerca del mundo. Y la física y la astronomía me cautivaron. Mi familia no se mostró muy entusiasta –frunció los labios–. Mi padre aceptó porque siempre se mostró muy indulgente conmigo, pero mi madre…

Se calló al percatarse de que estaba hablando más de lo que quería. Nunca le había contado tanto a nadie.

–¿Quería que te casaras y te convirtieras en esposa y ama de casa? –Nic terminó la frase por ella. El nombre de su antiguo prometido apareció en su cabeza, pero no le prestó atención.

Fran asintió y bebió un sorbo de daiquiri.

–Sí –contestó.

Su casa se habría convertido en un *castello* medieval y ella habría sido una *contessa.* Nic había acertado.

Ella respiró hondo.

–Ahora se sienten orgullosos de mí, pero mi madre no me ha perdonado por haber dejado a Cesare…

Fran se calló y Nic no continuó. No quería que ella recordara al hombre con el que no se había casado.

Ella habló de nuevo y él se dio cuenta de que era demasiado tarde.

–¿Y tú, Nic? ¿Cómo te convertiste en lo que eres ahora?

–Bueno, no fue gracias al colegio –contestó él–. Lo que aprendí allí fue cómo no caer en las drogas o en las bandas callejeras. Me marché en cuanto pude y me puse a trabajar en un hotel elegante, ¡Yo estaba en el sótano!

Su expresión cambió de pronto y su mirada se aclaró un tanto.

–Eso cambió todo para mí –dijo él–. No ganaba mucho dinero, pero era mío, yo lo había ganado. Y por primera vez, vi un futuro para mí. Algo que podría hacer yo. Había nacido así, sin más, y mi destino era no tener nada.

–¿Y tus padres? –preguntó ella.

Nic hizo una mueca, agarró el tequila y bebió un sorbo.

–Mi padre… nunca lo conocí. Se marchó antes de que yo naciera. Y mi pobre madre…

Bebió otro trago.

–Bueno, digamos que había tenido mala suerte con los hombres. El último la llevó a estar ingresada en el hospital –su mirada se ensombreció–. Después, yo hice que él también tuviera que ingresar. ¡Y nunca me arrepentí! Aunque inválida, vivió lo suficiente para ver que me iba bien en la vida, y estoy agradecido por ello.

Se bebió el último trago y se puso en pie. El oscuro

pasado se había apoderado de él cuando solo quería centrarse en el presente. Tendió la mano hacia Fran, la mujer que deseaba en ese mismo momento.

–Hora de cenar –anunció.

Ella le dio la mano y sonrió antes de ponerse en pie.

–Suena bien –dijo.

Lo acompañó hasta el restaurante sin soltarle la mano. Tenía la sensación de que habían hablado de muchas cosas personales durante el poco tiempo que habían estado juntos.

«¿Quizá podemos hablar así porque no nos conocemos de nada?», pensó Fran en la mesa del restaurante del motel, mientras Nic miraba la carta. «¿O es porque somos parecidos, a pesar de que tenemos pasados diferentes?».

Decidió centrarse en el presente. Y en lo que estaba por llegar.

Sintió que se le aceleraba el corazón y que una oleada de calor la invadía por dentro. La vida le deparaba una aventura... Algo diferente, pero bueno.

Gracias a que estaba allí con Nic.

Capítulo 3

DE ACUERDO, doctora Fran, hábleme de las estrellas.

La invitación de Nic era tentadora, y Fran no podía resistirse. Después de cenar habían salido a dar un paseo por un camino que subía hasta lo alto del risco, donde no llegaban las luces del motel. A lo largo del recorrido había varios bancos y ellos se habían sentado en uno. Nic le rodeaba los hombros con un brazo y ella sentía que estaba en el lugar donde quería estar.

Él levantó el rostro hacia el cielo y ella lo imitó. Se le cortó la respiración. La luna todavía no había salido y las estrellas brillaban en el cielo.

Una placentera sensación la invadió por dentro, alimentada por la noche, las estrellas, el desierto y la lejanía de su vida diaria. El mundo en el que había nacido, lleno de castillos y *palazzos*, títulos y propiedades, y el mundo en el que vivía en esos momentos, el de la investigación, parecían muy distantes.

Y no era el daiquiri que se había tomado lo que hacía que se sintiera entusiasmada. Tenía que ver con el brazo cálido que rodeaba sus hombros, y el hecho de que Nic estuviera a su lado mientras ella se apoyaba en él y miraba el glorioso cielo estrellado.

–¿Por dónde empiezo? –suspiró, preguntándose cómo podía transmitirle a Nic todo lo que sabía, consciente de que era imposible.

Sabía que debía comenzar abriéndole los ojos ante el poder del universo.

–Las estrellas… –dijo, y los ojos se le iluminaron al pensar en compartir con él lo que más llenaba su vida–. Son bolas ardientes de gas. Cada una es una central eléctrica, de fusión nuclear, nacida en lo más profundo de la galaxia, que brillan durante un tiempo y acaban apagándose. Algunas estrellas son pequeñas, otras grandes, y según lo grandes que sean y lo calientes que estén, sabemos cuál será su destino. Algunas, las más grandes, explotarán en fantásticas supernovas que colapsarán en agujeros negros, mientras que las más pequeñas se convertirán en gigantes rojos, como hará el sol algún día…

Ella estaba en su mundo, y él la dejó hablar. Le obsequió con todos los detalles acerca de la Secuencia Principal y Hertzsprung-Russell y Chandrasekhar Limits y todas las variedades de estrellas enanas, y estrellas neutrón hasta que la cabeza empezó a darle vueltas. Y al final no era capaz de oír las palabras, sino solo la pasión que había en su voz. Pasión por algo que adoraba.

Él notaba el calor de su cuerpo, el aroma de su cabello recién lavado, y la suavidad de su melena contra el antebrazo. Todo ello, junto con la pasión que había en su voz, provocó que el deseo lo invadiera por dentro y, de pronto, no quisiera saber nada de las estrellas. Le acarició el rostro y cubrió sus labios con un dedo, para silenciarla.

Ella lo miró y vio un brillo en sus ojos que nada tenía que ver con el cielo estrellado.

–¿Has tenido bastante? –le preguntó en voz baja.

–Por ahora –contestó él, sujetándole el rostro con delicadeza–. Te encanta el tema…

–Sí, me fascina –susurró ella.

Levantó la mano hacia su rostro, explorando sus facciones con la yema de los dedos y rodeando el contorno de su boca.

–Las estrellas brillarán durante eones, un tiempo que no podemos ni imaginar… –lo miró a los ojos–, pero esta noche, la de ahora, es nuestra.

Despacio, acercó la boca a la de él con sensualidad, sintiendo su familiaridad, su aceptación. Exploró su boca tomándose el tiempo necesario. Le acarició el cabello y la nuca, y él comenzó a besarla también.

No sabía cuánto tiempo estuvieron besándose, solo que, en un momento dado, él la atrajo hacia sí y notó cómo sus senos se ponían turgentes contra su torso. Nic continuó besándola de forma apasionada, alimentando el intenso deseo que la invadía por dentro.

Al cabo de unos instantes, él se puso en pie con ella en brazos, como si fuera una pluma.

Fran soltó una carcajada.

–¡No puedes llevarme así todo el camino hasta el motel!

Nic se rio y la llevó hasta la puerta del motel. Allí la dejó en el suelo y la guio por el pasillo hasta su habitación.

Una vez dentro, la abrazó de nuevo y le demostró el deseo que sentía por ella. Fuera lo que fuera lo que hubiera entre ellos, ella se estaba entregando de lleno.

La habitación estaba iluminada únicamente por una lamparita de noche. Nic acompañó a Fran hasta la cama, como si fuera lo más adecuado. Aquella mujer, bella y sobrecogedora, pertenecía a su lado.

Y lo que él estaba haciendo, era lo correcto. Le acarició el rostro y el cabello, sintiendo la suavidad de su piel y de su pelo, mirándola con deseo y ternura, y algo más que eso.

Durante un largo momento, él miró aquellos ojos de color gris claro que indicaban que ella había decidido quedarse allí, con él.

Para eso.

Para recibir su boca y los besos apasionados que comenzarían aquella unión.

Fran respondió ante su beso y se entregó a él. Le acarició la espalda y al notar que se excitaba experimentó una mezcla de sorpresa y emoción. El deseo que sentía por ella era evidente, y ella lo agradecía. Notó que sus pezones se ponían turgentes y supo que él también lo había notado.

Despacio y de manera sensual, él le retiró la ropa sin dejar de mirarla, y dejó que ella le hiciera lo mismo con sus delicadas manos.

Nic permitió que hiciera lo que pensaba que ella deseaba hacer, acariciarle el torso desnudo, suave y musculoso. En respuesta, él le cubrió los senos con las manos y le acarició los pezones con los pulgares.

Ella gimió y echó la cabeza hacia atrás. El deseo se apoderó de ella y él la tumbó sobre la colcha, colocándose a su lado.

Contempló su cuerpo y le habló en italiano, diciéndole lo bella que era. Fran contestó con una sonrisa sensual y le acarició el torso una vez más. Después deslizó las manos por su vientre, y se dio cuenta de lo excitado que estaba.

Él se rio y la colocó sobre su cuerpo antes de acariciarle la nuca y besarla de forma apasionada. Ella se movió y él decidió girarla y colocarla boca arriba en la cama, sujetarla por las muñecas contra la almohada y mostrarle lo que estaba a punto de suceder.

–Fran... –susurró a modo de pregunta. Quería asegurarse de que ella deseaba que aquello sucediera.

Fran sabía que él no haría nada que ella no deseara, o que no quisiera compartir con él al cien por cien.

Lo besó despacio y echó la cabeza hacia atrás para mirarlo.

Era toda la respuesta que él necesitaba.

Despacio, se acercó más a ella y notó que tenía húmeda la entrepierna. Ella separó las piernas para recibirlo y arqueó la espalda. Al sentir sus pezones turgentes rozar contra su torso musculoso, él gimió y la sujetó con más fuerza. La tensión de su mandíbula indicaba que estaba a punto de perder el control.

Sin embargo, esperó a que ella moviera las caderas despacio, para sentirlo completamente. Con cada movimiento ella notaba que el placer aumentaba en su interior hasta que se convirtió en una sensación imparable y se dejó llevar junto a él.

Fran gimió de placer, arqueó el cuello y notó que él jadeaba a la vez que empezaba a temblar. Unidos, se dejaron llevar hacia lo desconocido, hacia la inmensidad de la pasión y el placer.

El tiempo se detuvo. Todo se detuvo. Solo quedaba aquella fusión, el deseo saciado, la pasión silenciada por más pasión, aquello que los había convertido en uno solo…

Hasta que despacio, muy despacio, el tiempo comenzó a correr otra vez y ella notó el latido de su corazón. Nic abrazaba su cuerpo tembloroso y, momentos después, se separó de ella un instante para abrazarla de nuevo hasta que se calmara.

Nic le retiró el cabello del rostro con suavidad y la besó en la mejilla antes de murmurar palabras que ella no pudo escuchar debido a lo fuerte que le latía el corazón.

Una sensación de paz la invadía por dentro. La paz del placer, de la felicidad que invadía cada célula de su cuerpo, su mente y su alma. Fran sentía que Nic estaba relajado, agotado tras la intensidad sobrecogedora de aquella unión.

Sonrió despacio, y cerró los ojos al sentir que el sueño se apoderaba de ella, mientras él continuaba abrazándola.

Acunados por la oscuridad de la noche, se durmieron… acunados por el calor de sus cuerpos.

–Muy bien –dijo Nic–. ¿Todo preparado para ir al Gran Cañón?

Estaban tomando el *brunch* en el bar del motel después de haber estado remoloneando por la mañana. Fran no quería pensar en lo mucho que había disfrutado con él, por miedo a querer reservar la habitación otra vez.

Nunca había disfrutado de una noche como aquella. Se fijó en el hombre que estaba sentado frente a ella, y en su cuerpo musculoso pero relajado, y decidió que no se parecía a ningún otro hombre.

Nic transmitía una sensación de bienestar y ella sabía muy bien cuál era el motivo. Porque ella lo compartía con él, igual que habían compartido la pasión y la plenitud, e igual que compartirían el día que tenían por delante.

¿Y qué pasaría después? Ella no había querido hacerse esa pregunta. No tenía sentido, prefería verlo día a día, noche a noche. Era todo lo que deseaba hacer. Y le parecía suficiente.

Sentía una sensación de libertad debido a lo que estaba haciendo, disfrutar de aquella aventura con un hombre que, con tan solo una mirada, provocaba que se le acelerara el corazón.

Fran experimentó de nuevo esa excitación que sentía cuando lo miraba o pensaba en él. Sonrió y notó que se le aceleraba el pulso. No estaba segura de por qué le sucedía aquello, solo sabía que era lo que deseaba.

Nic la había cautivado y ella se había quedado a su lado, dispuesta a empezar el viaje de su vida, una aventura que recordaría para siempre. No la había buscado, pero se le había presentado, en aquel momento, con Nic.

La sensación de inmensa felicidad la invadió de nuevo.

–¿A la zona norte o a la zona sur? –preguntó Nic–. En el sur podemos parar en Las Vegas si te apetece.

Fran negó con la cabeza. Nic se alegró. Él también

prefería saltarse Las Vegas. Aunque no tenía ninguna propiedad allí, corría el riesgo de que alguien lo reconociera si se quedaban en uno de los hoteles importantes.

–¿Es un sitio donde te habría llevado tu exnovio? –preguntó.

¿Por qué diablos lo había hecho? Parecía que fuera un hombre posesivo, y nunca lo había sido con las mujeres. Tampoco le gustaba que ellas lo fueran hacia él.

No tenía sentido. No tenía sentido que una mujer quisiera compromiso por parte de un hombre.

¿No era eso lo que le había demostrado su madre con su propia historia? Los hombres siempre decepcionaban a las mujeres... Nunca se quedaban con ellas. Las abandonaban y huían cuando les convenía cuando la mujer intentaba volverse posesiva y les pedía un compromiso.

De pronto, Nic se percató de que Fran había soltado una risita a modo de respuesta.

–¿Cesare? –preguntó con acento italiano–. ¡Las Vegas sería el último sitio que habría visitado!

Cesare habría considerado Las Vegas como un sitio demasiado turístico y vulgar para un aristócrata como él.

–¿También es astrofísico? –preguntó Nic, sorprendido por querer saber más acerca de ese hombre.

–¡No! Cesare es... –Fran hizo una pausa, tratando de pensar cómo describirlo–. Bueno, supongo que se puede decir que se dedica a trabajar la tierra.

Era bastante cierto. Cesare administraba sus fincas con eficiencia y se responsabilizaba de su legado.

Nic soltó una risita.

–¿Es un paleto?

–Umm… –repuso Fran.

Tenía que cambiar de tema. La *donna* Francesca que estuvo comprometida con Cesare, *Il conte* di Mantegna, no tenía cabida en aquel país igualitario. Allí solo era la doctora Fran Ristori.

Y Nic era Nic Rossi, el que dirigía el equipo de seguridad del Falcone Nevada.

«Y eso es lo que quiero… Aquí y ahora. Nada más. Solo él y yo, mientras dure».

–Está bien, nos saltaremos Las Vegas –dijo Nic, con tono relajado.

Se bebió el café y puso una mueca. Fran sonrió.

–Se nota tu ascendencia italiana. He vivido en los Estados Unidos varios años y ¡el café sigue siendo terrible!

Él se rio. Era curioso, ella pensaba que él era italoamericano y él quería mantenerse así. Quería ser Nic Rossi, un hombre que se había labrado una carrera respetable como miembro del equipo de seguridad de un hotel a partir de una infancia perdida.

Estiró las piernas y volvió al tema del Gran Cañón.

–¿Qué tal la zona oeste? –sugirió él–. Hualapai Reservation ofrece vuelos en helicóptero, rutas aéreas y descensos por el río. Además, si nos apetece, podemos pasar la noche en una de las cabañas.

–¡Suena de maravilla! –exclamó Fran–. Será caro… Iremos a medias.

Nic se quedó sorprendido. Igual que cuando ella pidió antes de salir hacia el complejo de comunicaciones que le cobraran a ella el alquiler del vehículo. Él se había negado y ella no había insistido.

–Trato hecho –contestó él, y se dedicaron a hacer las reservas antes de empezar el viaje.

La llegada al cañón fue una experiencia inolvidable. Ambos permanecieron en silencio contemplando el paisaje rocoso y el río bajo el cielo azul.

Ninguno dijo nada, y continuaron con las manos entrelazadas uno al lado del otro. Entonces, apareció otro grupo de turistas y Fran soltó la mano de Nic para echarse a un lado.

Nic se miró la mano. Al darse cuenta de que la sentía vacía, negó con la cabeza. Era el efecto de aquel maravilloso lugar, nada más.

Comieron bajo la sombra de una carpa, y después bajaron al cañón para hacer un viaje en barco por el río y observar las paredes escarpadas.

–¿Te apetece hacer un descenso de aguas bravas en rafting? –preguntó Nic.

–¡No, gracias! –dijo Fran–. Esto ya va bastante rápido para mí.

Él se rio y le rodeó los hombros con el brazo, un gesto que se había vuelto natural entre ellos.

Cuando terminaron el paseo, regresaron al coche.

–¿Y ahora dónde vamos? –preguntó ella mientras se abrochaban el cinturón de seguridad.

–¿Quieres que vayamos a la orilla norte? –dijo Nic–. Es un trayecto largo, pero podemos hacerlo.

–¡Vamos! –dijo ella.

El entusiasmo se apoderó de ella una vez más. ¡Quizá fuera una locura, pero deseaba hacerlo! Con Nic a su lado.

Al final no se dirigieron a la orilla norte, sino que se adentraron en la ruta turística de Utah y visitaron Grand Staircase, Zion y Bryce, alojándose en hoteles y moteles del camino.

Iban relajados, disfrutando cada día de una nueva aventura. Dejando a un lado sus vidas y su existencia en favor de aquel viaje romántico.

Pasaban los días y todos eran especiales. Y cada noche era tan apasionada como la primera. Como si lo hubieran consensuado, ninguno contaba los días y ambos deseaban alcanzar el siguiente destino. Nunca pensaban más allá del siguiente día. Ni tampoco en qué pasaría cuando ya no les quedara camino, ni tiempo para estar juntos.

Fue en un pequeño café en el que pararon para desayunar a media mañana mientras se dirigían hacia el sur para llegar a la orilla norte cuando finalmente se les acabó el camino y el tiempo para estar juntos.

Fran había tenido el teléfono apagado en todo momento, excepto para mirar su próximo destino. Ese día estaba mirando dónde podían alojarse antes de terminar el viaje hasta el Gran Cañón al día siguiente.

Normalmente no tenía mensajes, pero ese día, al encender el teléfono recibió varios mensajes de texto, llamadas perdidas y mensajes de voz. Eran de Tonio, su hermano.

Ella frunció el ceño y comenzó a leer los mensajes

con nerviosismo, sin percatarse de que Nic también estaba mirando su teléfono y de que le estaba cambiando la expresión.

El mensaje que había recibido llegaba en mal momento. Era de su gestor de desarrollo empresarial y le decía que había encontrado un edificio en una de las mejores zonas de Manhattan que posiblemente saliera a la venta. Él debía ir a verlo en persona y actuar rápido. Inmediatamente. Sin embargo, no quería separarse de Fran.

«No quiero que esto termine todavía».

Al momento, intervino su parte racional.

«¿Y cuánto tiempo quieres que dure? ¿Qué más quieres de ella? ¿Estar una semana más a su lado? ¿Dos? ¿Cuánto tiempo? ¿Cuánto tiempo estás dispuesto a dejar de lado tu vida mientras viajáis por el Oeste Americano?».

Miró fijamente la pantalla deseando que el mensaje desapareciera. No obstante, siguió allí. Su vida real lo reclamaba. La divertida aventura que había compartido con aquella mujer llegaba a su fin.

Se percató de que Fran estaba hablando y le prestó atención. Su tono era frío y su mirada temerosa. Durante un instante, él pensó que debía de haber expresado de alguna forma que su tiempo juntos había terminado.

No era eso.

–Nic… –había tensión en su voz–. Nic, mi abuelo… mi abuelo ha sufrido un ataque al corazón. Creen que no va a sobrevivir –tartamudeó Fran.

Él le agarró la mano de forma instintiva. Ella lo miró y entrelazó los dedos con los de él.

–Tengo que ir a Inglaterra –dijo ella–. Mi madre ya está allí. Y mi hermana y mi hermano también. Mi padre va de camino. Yo tengo que ir.

Él asintió. La decisión estaba tomada. Nic llamó al camarero y pagó.

Momentos después estaban en el coche, de camino al sur.

–Podemos llegar a McCarran en poco más de tres horas. ¿Puedes buscar un billete de avión mientras conduzco?

Fran asintió. Lo que estaba pasando no podía ser cierto. Su abuelo, que parecía tan indestructible como el antiguo castillo ducal donde tenía su residencia principal, se estaba muriendo. Quizá cuando ella llegara ya fuera demasiado tarde.

Un sentimiento de culpabilidad se apoderó de ella. Se había mantenido distante de su familia desde que se separó de Cesare porque no quería escuchar las críticas de su madre por haberlo hecho. Desde entonces, se había entregado al trabajo y a la investigación.

El sentimiento de culpabilidad era mayor al pensar en lo que diría su madre si se enterara de que se había marchado de viaje con un hombre que trabajaba en el equipo de seguridad de un hotel.

Una extraña emoción se apoderó de ella. La aventura con Nic había sido una fantástica y maravillosa ruptura con la vida real, pero no tenía nada que ver con ella. Ni con la vida de científica, ni con la vida para la que había nacido siendo *donna* Francesca.

La vida a la que debía regresar, junto a lo que podía ser el lecho de muerte de su abuelo, el centro de la familia por parte de su madre. El hombre que en esos momentos podía estar traspasando su corona ducal a su sucesor, su tío, mientras que su yerno, el padre de Fran, estaría presentando sus respetos a uno y a otro.

Ella también debería estar allí. En un momento así, las desavenencias con su madre no tenían importancia.

Abstraída, miró por la ventanilla del coche. El paisaje se había convertido en algo familiar durante los maravillosos e inolvidables días que había pasado allí, junto al hombre que estaba sentado al volante para llevarla al aeropuerto de Las Vegas lo más rápido posible.

«No quiero marcharme... Ni perder esto».

Era una queja que provenía de un lugar de su interior que no sabía que existía hasta ese momento. Una queja que debía silenciar.

«Si no me voy ahora, ¿cuándo me iré?».

Esa era la gran duda. Si no hubiera recibido el mensaje de su hermano, ¿qué habría hecho? ¿Pasar unos días más junto a Nic? ¿Quizá otra semana? No podía durar mucho más, al final tendría que regresar a su otra vida. Tenía cosas que hacer. Documentos que redactar. Encontrar otro puesto de investigación, quizá mudarse a otra ciudad. O a otro país.

Así que quizá lo mejor fuera que su tiempo para estar con Nic terminara de esa manera, ¿no? Una extraña sensación se apoderó de ella...

Nic estaba hablando y ella se esforzó para escuchar. Le estaba diciendo que no se preocupara por la maleta que había dejado en el Falcone Nevada, que él se ocuparía de enviarla a su oficina.

Ella le dio las gracias sin pensar. Estaba nerviosa

por si era demasiado tarde cuando llegara a Londres. Y aunque quería llegar, sabía que se estaba agotando su tiempo con Nic.

Al llegar a McCarran, se despidieron rápidamente. No tenían mucho tiempo antes de que ella embarcara, así que Fran le agarró las manos a Nic y se las apretó con fuerza.

–¡Gracias! –exclamó.

Lo besó rápidamente en los labios y él no tuvo tiempo de hacer lo que deseaba, tomarla entre los brazos y estrecharla contra su cuerpo por última vez.

Ella retiró las manos, se colocó la mochila que había comprado durante el viaje y sacó el pasaporte. No tenía que facturar equipaje y previamente había sacado la tarjeta de embarque, solo le quedaba marcharse.

Incapaz de mirar atrás, Fran se dirigió a las puertas de embarque y se adentró en la sala.

Durante un momento, él se quedó mirando la puerta cerrada. No se podía creer que se hubiera marchado.

Nic notó que se le formaba un nudo en el estómago, regresó al coche y arrancó el motor para regresar al Falcone Nevada.

Su tiempo con Fran había terminado. Estaba tenso, y se preguntaba por qué se sentía como si hubiera recibido una patada en el estómago…

Capítulo 4

AL FINAL de la mañana, Fran llegó a Beaucourt Castle, la residencia principal de su abuelo. Adrietta, su hermana pequeña, se acercó a ella corriendo para abrazarla en cuanto bajara del Rolls-Royce con el que habían ido a recogerla al aeropuerto.

–¡Se está recuperando! ¡Le ha dicho al médico que se fuera y que quería comer langosta! ¡Con vino!

Fran sonrió aliviada.

–¡Es muy resistente!

Juntas, se dirigieron a la habitación del abuelo. Lo encontraron incorporado en la cama, con aspecto delicado y conectado a todo tipo de equipo médico, pero vivo.

–Veo que también te han llamado –dijo el duque al verla. Tenía la voz ronca y el rostro envejecido, a pesar de que mostraba una actitud desafiante. Fran supo que había hecho lo correcto apresurándose para llegar allí.

Por mucho que le hubiera dolido separarse de Nic.

No, no debía pensar en eso. No debía pensar en Nic, de regreso en Falcone y buscando la manera de enviarle sus cosas a la Costa Oeste. Ya había pensado en él durante las diez horas de vuelo. No quería imaginárselo haciendo su trabajo vestido de esmoquin. No quería pensar en él.

Debía centrarse en su familia y en su indómito abuelo. El hombre que había sobrevivido y que deseaba comer langosta con vino.

Él le había ordenado a la madre de Fran que se tranquilizara, y a su tío el marqués que tendría que seguir con su título de cortesía un poco más, y que, por el momento, la corona ducal no cambiaba de sitio.

Fran se sentía aliviada por otro motivo. Su madre, con el rostro manchado de lágrimas, la había recibido con un gran abrazo.

–Cariño, ¡me alegra que hayas venido! Gracias… ¡Muchas gracias!

–Por supuesto que he venido –Fran abrazó a su madre.

Fue todo lo que hablaron, pero ella supo que ya había terminado el distanciamiento que había tenido con su madre. No solo había contribuido a ello que su abuelo hubiera estado a punto de morir, también la noticia que había conseguido que su madre dejara de lamentar la decisión de Fran de no casarse con Cesare.

Adrietta iba a comprometerse con un buen partido, el heredero de un *visconti*, y la *marchesa* tendría la oportunidad de organizar una gran fiesta de compromiso y una magnífica boda al año siguiente.

Fran se sentía aliviada, y se alegraba por su hermana y su madre. Aunque se sentía extraña. Estaba siendo absorbida de nuevo por su familia, por el mundo en el que había nacido. Sin embargo, le asustaba el contraste entre los días que pasaría en Beaucourt y los días que había pasado con Nic cruzando el Oeste Americano.

No le había hablado de Nic a nadie de su familia. E

intentaba no pensar en él. Habían tenido una aventura amorosa, breve, impulsiva y despreocupada. Sin intención de que fuera nada más. El tiempo que habían pasado juntos se convertiría en un precioso recuerdo.

No obstante, una vez acostada en la habitación que siempre ocupaba cuando iba a Beaucourt Castle, anhelaba sentir su cuerpo junto al de él.

A medida que pasaron los días y su abuelo iba recuperando fuerzas, los recuerdos del tiempo que había pasado con Nic empezaron a esfumarse. Fran estaba entregada a su existencia como *donna* Francesca, con sus padres, sus hermanos, sus tíos y sus primos, aceptándola como un miembro más de la familia que permanecía unida a pesar de que estuviera repartida por Inglaterra e Italia.

Una vez que el abuelo se encontraba mucho mejor, los padres y los hermanos de Fran decidieron regresar a Italia. Fran se marchó con ellos para pasar una semana en el *palazzo* del siglo XVIII que tenían en Lombardía y donde había pasado la infancia, antes de regresar a la universidad.

Les había dicho a sus padres que iba a buscar otro proyecto de investigación y su madre albergaba esperanzas acerca de que, en esa ocasión, encontrara uno en Europa. Y que, además, encontrara a un sustituto para el prometido que ella había rechazado.

–¡Solo quiero que seas feliz, cariño! –había exclamado su madre.

–Soy feliz. Soy feliz en mi trabajo –contestó Fran.

–Oh, no es lo mismo –protestó su madre–. ¡Mira lo feliz que está Adrietta! ¡Está radiante! Deseo lo mismo para ti. Quiero que tengas un hombre especial en tu vida, ¡que no se parezca a ninguno que hayas conocido antes!

Fran no contestó. Los recuerdos invadieron su cabeza...

–Estás pensando en Cesare, ¿verdad?

–¡No! –exclamó Fran rápidamente. No era en Cesare en quien pensaba, sino en un hombre completamente diferente.

Marcharse con Nic había confirmado la idea de que Cesare pertenecía al pasado y ella era libre de disfrutar con quien quisiera. Aunque no debía olvidar que solo se trataba de disfrutar.

«Todo ha terminado. Fue muy bueno, pero ha terminado». Necesitaba recordar aquello cuando regresara a su departamento y estuviera trabajando, o buscando un nuevo proyecto. Si había sido capaz de aceptar que Cesare ya no formaba parte de su vida, podría aceptar lo mismo de Nic... Con Cesare le había resultado sencillo, y con Nic sería lo mismo.

Sí, tenía sentido. Aunque, cuando encontró la maleta que se había dejado en el Falcone Nevada junto al escritorio de su despacho, sintió un nudo en el estómago. De pronto, revivió la despedida que habían tenido en el aeropuerto. Incluso el beso apresurado que se habían dado.

Quizá fuera bueno que todo hubiera acabado tan de repente. Los viajes por carretera no continuaban para siempre. Con el tiempo, los vívidos recuerdos se desvanecerían. Y ella continuaría con su vida.

Sin embargo, mientras miraba una gráfica en la pantalla un pensamiento invadió su cabeza. «Nunca llegamos a ir a la orilla norte».

Su viaje había terminado antes. Por un momento, y antes de concentrarse de nuevo en las gráficas, experimentó un sentimiento de arrepentimiento.

Como si algo permaneciera inacabado...

Nic agarró el bolígrafo de oro de treinta mil euros que estaba sobre su escritorio del siglo XVIII y plasmó su firma en el contrato de compraventa que tenía delante.

El edificio de Manhattan era suyo. Le había costado un dineral, pero no le importaba. Merecía la pena. Era el propietario de un edificio emblemático de la ciudad y nadie podría quitárselo.

Dejó el bolígrafo sobre el escritorio y esperó a que lo invadiera una sensación de satisfacción.

En cambio, lo que lo invadió fue el recuerdo del momento del verano en que había firmado la cuenta del bar del Falcone Nevada, tratando de ocultar su nombre de la mujer que estaba sentada a su lado.

Al instante, las vistas de la ciudad de Roma que se veían desde su oficina desaparecieron. Y el paisaje rocoso y soleado que Fran y él habían recorrido durante días apareció en su cabeza. La carretera parecía interminable, como si aquel viaje no tuviera fin. No obstante, lo había tenido. Y ellos habían tomado caminos separados. Ella se había ido a estudiar los misterios del universo, él a intentar llegar todavía más alto con Falcone.

Recordó cómo había visto desaparecer a Fran tras las puertas de embarque de McCarran y experimentó de nuevo la sensación de haber recibido una patada en el estómago.

«¿Debería ponerme en contacto con ella? ¿Tratar de verla otra vez?».

Juntos lo habían pasado muy bien.

De pronto, sintió que un fuerte calor lo invadía por dentro y recordó los días y las noches que habían pasado juntos. Sería muy fácil contactar con ella otra vez. Encontrarla en la universidad. Lo único que tenía que hacer era sacar el teléfono.

No lo hizo.

«Déjala. No tiene sentido contactar con ella. Lo que compartimos fue bueno, pero se acabó. Avanza».

Él siempre avanzaba. Todas sus relaciones eran transitorias. No se arriesgaba a nada más. Recordaba a su madre, asustada por lo que le había ofrecido la vida, lamentándose por la infidelidad de los hombres. Por el hombre que la había dejado embarazada y sola, presa de otros hombres.

«Tú serás igual», recordó sus palabras. «Te pareces mucho a él… ¡Tan atractivo! Pero tan infiel…».

Nic apretó los dientes. Él no sería como su padre porque nunca permitiría que una mujer esperara nada de él.

«¿Y Fran? ¿Habrá esperado algo de mí aparte de lo que tuvimos?».

Nic no lo sabía, pero prefería no preguntárselo. No quería saber cómo se comportaría ella cuando supiera que él no era Nic Rossi, un miembro del equipo de seguridad del Falcone Nevada, sino Nicolo Falcone. Si contactaba con ella de nuevo, saldría a la luz. Y eso implicaría dar explicaciones…

No, era mejor que su aventura permaneciera en el pasado. Que Fran se mantuviera allí.

En su apartamento de la Costa Oeste, Fran miró las cajas que había preparado para enviar sus cosas a Reino Unido y sintió una mezcla de emociones. Había aceptado un puesto de investigación temporal en la universidad de Cambridge y su madre estaba encantada. Fran no estaba muy segura de su decisión. Le parecía que estaba dando un paso hacia atrás, de vuelta a la vida de siempre y al mundo de donde provenía.

En los Estados Unidos se sentía más libre... Libre de ser la doctora Fran Ristori y no *donna* Francesca... Libre para marcharse a viajar con un chico que había conocido en un hotel y que era empleado del mismo.

Recordó que Nic solía llamarla doctora Fran y sonrió. Una mezcla de emociones la invadió por dentro. Dejar los Estados Unidos implicaba poner el sello final a aquella aventura romántica. ¿Era lo que ella deseaba? En los meses que habían pasado desde que se separó de Nic había descubierto que nunca conseguiría dejar de preguntarse qué sería de él, o si debía tratar de ponerse en contacto con él otra vez.

Sabía que lo mejor era que aceptara que solo había sido una aventura y que no podía llegar a ser nada más.

Sin embargo, la pregunta surgió de nuevo en su cabeza y Fran se percató de que había sacado el teléfono.

«Quizá solo quiero decirle adiós. Contarle que me marcho de los Estados Unidos. Cerrar del todo... ¿Cerrar o...?».

¿Cuál era el motivo? No lo sabía. Y no quería oír la

vocecita de su cabeza que le decía que si Nic hubiese querido contactar con ella otra vez había tenido montones de oportunidades para hacerlo. Él podía haberla localizado en la universidad con facilidad.

«Y no lo ha hecho. Es evidente que ha seguido con su vida».

No obstante, la inquietud se había apoderado de ella. Agarró el teléfono y buscó el número del hotel.

Dos minutos después, colgó desconcertada. La recepcionista había insistido en que no había ningún hombre llamado Nic Rossi trabajando en el hotel de Nevada, ni en ningún otro hotel de la cadena Falcone.

Fran se quedó mirando al vacío. Nic se había marchado de Falcone sin dejar rastro.

Podría estar en cualquier sitio.

Fran experimentó una sensación de vacío. No tenía ni idea de dónde o cómo podría encontrarlo.

Nic estaba en Londres, en su residencia de Falcone Mayfair. El hotel era una elegante mansión georgiana que ocupaba la cara sur de una manzana y el hecho de haber adquirido la propiedad significaba que no le había importado dejar la propiedad que Viscari tenía cerca de St James y de la que él había sido copropietario el año anterior.

Daba la casualidad de que esa misma noche él iba a visitar el Viscari St James, como acompañante de la diseñadora del lujoso jardín del ático que inauguraban con una gran fiesta.

Nic no se encontraba entre la lista de invitados, debido a la disputa que había tenido con Vito Viscari el año anterior, pero no le importaba. Únicamente quería valorar los diseños de horticultura que hacía Lorna Linhurst por si decidía utilizarlos en sus hoteles.

Además, estaba valorando si mostrar su interés por ella en lo personal, y no solo en lo profesional.

Se sentía inquieto y estiró los puños de su esmoquin. Quizá había llegado el momento de tener otra aventura. Después del viaje que había realizado con Fran los meses habían sido muy intensos, ya que le había dado prioridad a la apertura del nuevo Falcone Manhattan, así que el ocio había quedado en segundo plano. Sin duda, había llegado el momento de avanzar y olvidarse de Fran.

Lorna Linhurst podía ser la mujer adecuada. Divorciada, de veintitantos años, muy atractiva y con buen cuerpo… ¿Qué parte no le podía gustar?

Un poco más tarde, mientras entraban en el Viscari St James, lo recordó una vez más. Lorna llevaba un vestido rojo oscuro y estaba muy atractiva. Estaba un poco nerviosa, pero era normal ya que estaba a punto de mostrar su capacidad ante un potencial cliente.

Sí, no había nada que objetar acerca de ella… Era inteligente y muy atractiva. Aunque no era Fran.

Nic era consciente de que su presencia como acompañante de Lorna no había pasado inadvertida, y eso le producía cierta satisfacción.

Al entrar en el ascensor que los llevaría a la azotea, se percató de que el empleado sacaba su teléfono móvil, seguramente para alertar a su jefe de que Nicolo Falcone se dirigía al piso superior. No le importó. No estaba allí para ver a Vito Viscari, sino para comprobar si lo que había hecho la paisajista le gustaba.

Nada más salir a la azotea, Nic se percató de que el diseño era maravilloso. Un paraíso verde sobre el tráfico de Londres. Permitió que Lorna le mostrara el lugar y le explicara cómo se había enfrentado a las dificultades de crear un jardín en una azotea, donde tenía que disimular los drenajes y los motores de climatización.

Al llegar a uno de los extremos del jardín, Nic se detuvo y la miró:

–Haz un boceto para renovar los jardines del Falcone Florencia –le dijo con voz cálida–. Algún día hablaremos de ellos durante una comida.

Nic se percató de que a ella se le iluminaba el rostro con la idea de poder hacer un proyecto en un lugar tan prestigioso. Eso confirmó su decisión. Florencia sería un lugar ideal para mostrar su interés personal en ella. Quizá fuera todo lo que necesitara para calmar la inquietud que sentía.

La miró un instante. Sería fácil llevársela a la cama. Aunque ¿era eso lo que deseaba?

Estar con Lorna lo ayudaría a quitarse de la cabeza el tiempo que había compartido con Fran. El tiempo que había pasado con ella había sido distinto, pero no cambiaba nada. Él no quería mantener una relación. Le gustaba relajarse con una mujer de vez en cuando, y así quería seguir. Fran solo había sido otra aventura más.

Y había llegado el momento de empezar con otra. Posiblemente con la mujer a la que acompañaba esa misma noche.

Nic dejó de mirar a Lorna y miró hacia los invitados que se concentraban frente al restaurante de la azotea. Se fijó en los camareros que servían copas de champán y canapés. Vio a Vito Viscari saludando a sus invitados y, al pensar en lo fácil que había tenido la vida, puso cara de desprecio.

Nic se movió con inquietud. Ya había visto lo que quería ver y podía marcharse. Sin duda, Lorna querría quedarse más rato y disfrutar de su triunfo.

Entonces, cuando estaba a punto de decirle que se marchaba, algo cambió entre la multitud y Nic se quedó de piedra.

Entre las invitadas había una que llamó su atención.

Una mujer alta y delgada que llevaba un vestido azul y un chal de seda, y que estaba hablando con dos personas. Una mujer a la que había visto por última vez en la zona de Salidas del aeropuerto de McCarran de Las Vegas. Una mujer que no creía que nunca volviera a ver.

Al instante, dos ideas invadieron su cabeza.

No había avanzado nada desde su viaje con Fran.

Y Lorna Linhurst había dejado de existir.

Fran sonrió mientras escuchaba la historia que Carla, la esposa de Cesare, le estaba contando acerca de su hijo. Junto a ellas, Cesare miraba a su esposa con una expresión que Fran nunca había visto durante todo el tiempo desde el que lo conocía.

Ella cambió de postura porque el vestido que llevaba le agobiaba un poco, a pesar de que era de uno de sus diseñadores favoritos de Milán. El collar de zafiros que le había regalado su padre al cumplir los veinte años, le resultaba demasiado pesado. Iba muy maquillada y llevaba el cabello perfectamente peinado. Le resultaba extraño ir tan arreglada, y entretenerse asistiendo a eventos tan opulentos como aquella fiesta.

Aunque había regresado a Cambridge, mantenía al mínimo su vida social. De vez en cuando iba a visitar a su abuelo a Beaucourt, y se alegraba de que estuviera recuperando su personalidad irascible. En Navidad había planeado ir a Italia para asistir a la fiesta de compromiso de su hermana, el gran evento que su madre y Adrietta estaban preparando.

Había ido a Inglaterra para ir a Cambridge y trabajar, no para salir de fiesta. Esa noche era una excepción.

Había ido con Cesare y Carla a la gran fiesta que se celebraba en el Viscari St James porque Vito, el propietario, era un primo lejano de Carla. El primo de Fran, el joven conde de Cranleigh, estaba allí también como su acompañante, y todos ellos añadían un toque aristocrático a la lista de invitados de la alta sociedad.

Carla les estaba dando las gracias por haber ido.

–Siempre hago lo que puedo por ayudar a Vito –le dijo Carla.

–Bueno, para eso están las familias –Fran sonrió–. Y los amigos –añadió, mirando a Cesare con cariño.

Siempre lo consideraría un amigo, y se sentía aliviada al ver que estaba verdaderamente enamorado de Carla, lo que confirmaba que había hecho bien en romper su compromiso con él.

Se había olvidado de Cesare rápidamente. De hecho, había pensado más en Nic de lo que había pensado en Cesare en todo ese tiempo.

Nic, con aquellos penetrantes ojos azules que brillaban cuando le dedicaba una sonrisa, se reía o la tomaba entre sus brazos para besarla hasta volverla loca de deseo.

Desde que se habían separado y él había entrado a formar parte del pasado, ella había tratado de no pensar en el tiempo que habían compartido, y de ignorar las emociones que la invadían de forma repentina y que le provocaban recuerdos intensos.

Cesare le estaba preguntando por su nuevo trabajo de investigación y Carla estaba mencionando algo acerca del Fitzwilliam Museum de Cambridge.

Fran los escuchaba a medias, distraída por los recuerdos que le había provocado pensar en Nic. Miró a su alrededor para tratar de distraerse. Ella estaba allí, en Londres, y Nic a miles de kilómetros de distancia. Y pertenecía al pasado.

Se fijó en el grupo de invitados que se concentraba al otro lado de la terraza y se quedó paralizada.

Había dos personas que llamaron su atención. Una mujer que llevaba un vestido rojo y un hombre vestido con esmoquin. Un hombre diferente a todos los demás. Un hombre que no debía estar allí. No podía estar allí, en Londres, a tan solo unos metros de ella.

Pero allí estaba.

Y en los pocos segundos que Fran tardó en reconocerlo, un fuerte sentimiento la invadió por dentro.

«Alegría».

Nic dio un paso adelante y se detuvo. Ella lo había visto. Él lo había notado en su mirada.

Sintió un nudo en el estómago y que la mente se le quedaba en blanco. No estaba preparado para aquello. Se sentía paralizado, como si alguien le hubiera golpeado en el pecho y lo hubiera dejado sin respiración. Momentos después, se volvió hacia la mujer que estaba a su lado como un autómata.

–Discúlpame un momento –le dijo.

Nic avanzó unos pasos. Fran se dirigía hacia él caminando a paso ligero. Él se acercó a ella también.

–¡Nic! ¿Qué diablos haces aquí? –el tono de su voz acompañaba la expresión de sorpresa de su rostro y de su mirada.

Nic notó que una ola de calor lo invadía por dentro. Percibió el aroma de su cabello y tuvo la sensación de que se habían separado la noche anterior. Era como si los meses que habían estado separados se hubieran desvanecido.

De pronto, se dio cuenta de que ella le estaba diciendo algo.

–¿Ahora trabajas aquí? ¿En Viscari?

¿Era por eso por lo que no había conseguido localizarlo en el Falcone? ¿Porque se intercambiaban los empleados? En realidad, eso ya no le preocupaba, sino la mezcla de emociones que estaba experimentando.

«¡Nic! ¡Oh, Nic!», lo llamó en silencio mientras se fijaba en la silueta de su cuerpo. ¡Estaba allí! ¡Y era maravilloso volverlo a ver!

Todo lo que se había dicho acerca de que solo había sido una aventura, y que debía permanecer en el pasado, se evaporó de golpe.

El corazón le latía muy rápido y su cuerpo estaba

reaccionando igual que la primera vez que lo vio. Al instante, ardientes recuerdos invadieron su cabeza.

Nic, con sus labios de terciopelo, derritiéndole el cuerpo.

Nic, con sus fuertes brazos llevándola a la cama.

Nic, con su cuerpo arqueado sobre el de ella, acariciándola, poseyéndola, llevándola a lugares desconocidos y provocando que llegara al éxtasis.

De pronto, Fran se dio cuenta de que él no le había dicho nada y lo miró.

Nic sabía que debía hablar. No le quedaba más remedio. Intentó pensar qué decir, pero fracasó. No era capaz de hacer nada aparte de mirarla como si estuviera hambriento de deseo. Fran estaba radiante. Más bella que nunca.

«¿Cómo pude dejarla marchar? ¡Debía de estar loco para hacer algo así!».

Aquellas palabras echaban por tierra sus principios. Se sentía confuso, pero tenía que encontrar las palabras para contestar a Fran.

–Yo… Es complicado –dijo, con expresión seria y tratando de pensar cómo manejar aquello.

Fran estaba a punto de descubrir que él no estaba trabajando allí, en el Viscari St James…

Nic se fijó en que ella reaccionaba dando un paso atrás al verlo tan serio.

–Oh, lo siento –dijo Fran

De pronto se dio cuenta de que, si realmente Nic estaba trabajando en el Viscari de Londres, quizá no debía mezclarse con los invitados. Quizá el ambiente relajado del Falcone Nevada no caracterizaba al hotel Viscari. Quizá debía tener cuidado porque estaba de prueba. O incluso tenía que ser discreto para poder proteger a los invitados que, como ella, iban cargados de joyas a aquel evento. Quizá...

«Quizá tú seas la última persona que él desea ver... Quizá por eso no te recibe con un abrazo».

Recordó lo que se había dicho a sí misma durante los meses que habían pasado desde el viaje que habían hecho juntos.

«Él podría haber contactado contigo si hubiera querido. Sabía dónde trabajabas, dónde vivías, y podría haber descubierto que te habías mudado a Cambridge. Podría haberte buscado ahora que está en el Reino Unido. Y no lo ha hecho. ¿Qué te indica eso?».

La respuesta era clara. Todo indicaba que ya no estaba interesado en ella.

Desilusionada, observó que la mujer del vestido rojo se acercaba a ellos. Era una mujer bella y a Fran no le gustó. Nic había continuado con su vida.

Una emoción intensa se apoderó de ella. Al momento, otra ocupó su lugar.

La mujer tocó ligeramente la manga de la chaqueta de Nic y dijo:

–¿Me disculparía un momento, señor Falcone? He visto a una persona con la que tengo que hablar...

Aquellas palabras dejaron la mente de Fran en blanco. Respiró hondo y dijo:

–¿Qué?

¿Cómo lo había llamado aquella mujer? «¿Señor Falcone?».

No podía ser cierto.

Capítulo 5

FRAN se quedó paralizada y miró a Nic con incredulidad.

Nic se movió despacio. Retiró la mano de Lorna de su manga y asintió.

Durante un segundo, Fran miró a aquella mujer mientras sonreía y se marchaba deprisa, como si hubiera notado que había interrumpido algo.

Después, volvió a mirar a Nic. Tenía una gélida expresión en el rostro. Ese rostro que ella conocía tan bien.

Nic. Nic Rossi. El hombre que trabajaba en el equipo de seguridad del Falcone Nevada.

«Señor Falcone».

«No puede ser. No he debido de oír bien».

–Dime que no he oído bien –dijo en voz alta.

Ella vio que él negaba con la cabeza.

–Sí, sí has oído bien. Soy Nicolo Falcone.

–Me dijiste que te llamabas Nic Rossi.

–Así es. Ese es mi nombre de nacimiento. Adquirí el apellido Falcone cuando decidí hacer algo conmigo mismo.

–¿Y por qué me has mentido? –preguntó ella en tono acusador.

–No te he mentido. Simplemente no te lo he dicho –su tono era distante, como si fuera un hombre distinto al que ella conocía.

Fran se sintió vacía por dentro. Entonces, de pronto, vio que él miraba a lo lejos detrás de ella. Oyó pasos y alguien que le hablaba en italiano.

–Francesca, ¿estás bien?

Era Cesare. Cesare se había acercado para ver si necesitaba la protección de *il conte* y si aquel hombre la estaba molestando.

Después de todo, Cesare era un viejo amigo y la conocía de toda la vida. Fran lo agarró del brazo y pronunció su nombre.

–Cesare…

Se percató de que Nic lo había oído. Nic, el multimillonario propietario del hotel donde ella se había hospedado durante la conferencia. El propietario de muchos otros hoteles.

Aunque no de aquel. En ese momento, Vito Viscari se acercó a ellos y se colocó al otro lado de Fran.

–Falcone –dijo con tono tenso–. No recuerdo que estuviera entre la lista de invitados –añadió en italiano.

Fran vio que Nic fruncía los labios.

–No era necesario.

–¿Qué otra cosa se podía esperar? –dijo Vito–. ¿Ha venido a admirar o a criticar?

–A valorar –contestó Nic.

–¿Y cuál es su valoración, Falcone?

–Estoy impresionado –dijo él.

–Me alegro –dijo Vito con ironía y arqueando una ceja.

Fran se percató de que alguien más se acercaba a ellos. Era Harry, su primo.

–Hola –dijo con su acento inglés de clase alta y sin

percatarse de la tensión que había en el ambiente–. Una fiesta fantástica, Vito –sonrió y levantó la copa hacia el anfitrión. Después, miró al hombre que estaba enfrente con curiosidad.

–Falcone, permítame que le presente a mis invitados –dijo Vito, como para cumplir con las normas de educación de la alta sociedad–. Lord Cranleigh...

Miró a Harry y este levantó la copa de champán para saludar.

–*Il conte* di *Mantegna*, al que tal vez ha conocido en otra ocasión... O quizá no.

Y por último miró a Fran, de manera protectora igual que había hecho Cesare.

–Y veo que ya ha conocido a la prima de lord Cranleigh, *donna* Francesca di Ristori, la hija de *il marchese* d'Arromento.

Fran se fijó en cómo le cambiaba la expresión de la cara a Nic. Era como si se hubiera puesto una máscara de acero. Sin embargo, detrás podía ver el brillo de sus ojos.

–«*Donna* Francesca».

Dos palabras. Como piedras tiradas desde una gran altura. Entonces se fijó en el hombre que ella había llamado Cesare.

«Cesare, el paleto. El chico de campo». Así era como él había llamado al hombre que había formado parte del pasado de Fran.

Cesare era el conde de Mantegna. Un hombre culto y cosmopolita, propietario de grandes fincas y miembro de la alta sociedad de Roma, además de portador de un título que se remontaba a miles de años atrás.

Ese era el hombre del que ella había hablado ese día, en otro mundo, en otra vida, cuando iba sentada detrás de él en una lancha en medio del lago... la mujer con la que había tenido una aventura a través del desierto y alrededor del Cañón del Colorado. La mujer con la que había reído, viajado y hecho el amor...

Frunció los labios y se notó un nudo en el estómago.

«¡Pensaba que sabía quién era ella! La doctora Fran, la que contemplaba las estrellas y me contaba cosas acerca de ellas. La que me abrazaba con fuerza. La doctora Fran, a quien no le importaba tener una aventura con un hombre del que pensaba que era un guardia de seguridad de un hotel».

Y ella no era esa persona en realidad. Procedía de un mundo que no se parecía en nada a la sociedad libre y relajada de los Estados Unidos. Su mundo verdadero se basaba en la formalidad y en los títulos nobiliarios. Un mundo lleno de *palazzos* y *castellos*. Un mundo para aquellos que habían nacido con privilegios y posesiones. Un mundo que no tenía nada que ver con él.

Y que nunca tendría nada que ver con él. Ni nadie que perteneciera a él.

La miró unos instantes y después miró a los hombres que estaban a su lado, protegiéndola para que él no se le acercara demasiado. Los hombres a los que ella pertenecía, los hombres de su mundo.

Donna Francesca, con su vestido de alta costura y sus joyas... No era la mujer que conocía. Que él pensaba que conocía.

En absoluto.

Se volvió enfadado y se marchó deprisa hasta el ascensor. Apretó el botón y entró en cuanto se abrieron las puertas.

Su expresión era fría como el acero, sus ojos brillaban con una emoción que no quería nombrar.

Aunque sabía lo que era, y por qué le estaba afectando como si le hubieran clavado un cuchillo en el vientre.

–¡Nic, espera!

Fran metió la mano entre las puertas y forzó para abrirlas. Una vez dentro, con el vestido apretado y los zapatos de tacón, tuvo que agarrarse a una barra para estabilizarse. Las puertas se cerraron y el ascensor comenzó a descender.

–Nic… –comenzó a decir.

–No tenemos nada que decirnos, «*donna* Francesca» –contestó él.

–¡No me llames así! –exclamó ella.

–Es quien eres –dijo él.

–¿Y qué? –soltó ella.

Lo que había sucedido era terrible. Nunca se había imaginado que Nic averiguaría quién era ella de esa manera.

«¡Y él tampoco es Nic Rossi únicamente!».

–¡Y tú eres Nicolo Falcone! –exclamó ella–. Tampoco lo habías mencionado. Pues yo nunca mencioné un título que no significa nada en los Estados Unidos.

–Ahora estamos en Europa, y tú eres *donna* Francesca… Tal y como Viscari se ha molestado en presentarte.

–¡Así es como Vito me conoce! Una prima suya se casó con Cesare, ¡el hombre que yo dejé!

–Ah, sí. ¡Nada menos que Su Excelencia el conde de Mantegna!

–Sí, ¿y qué? –preguntó ella–. Es un amigo de la familia. Lo conozco desde que era una niña.

«Por supuesto, el ilustre conde es un amigo de la familia. Y de la infancia». Los aristócratas siempre estaban unidos protegiendo sus privilegios, protegiéndose unos a otros.

Igual que Vito Viscari también protegía sus privilegios... Unos privilegios para los que no habían tenido que trabajar, que se los habían entregado en bandeja. Y nunca les importaba si dejaban fuera a aquellos que habían tenido que trabajar para todo lo que habían conseguido.

Él no quería saber nada de esa gente. Tampoco con una mujer que resultaba ser parte de todo eso.

«No es la mujer que creí que era».

–*Donna* Francesca, ¡su familia y sus amigos no son asunto mío! –soltó. La rabia se había apoderado de él.

–¡Nic, no seas así!

Ella estiró la mano como para tocarlo, tal y como había hecho a menudo durante el tiempo que estuvieron juntos, pero, en el último momento, dudó. Él la estaba rechazando. A ella, y a todo lo que habían compartido juntos...

Fran recordó el día que habían entrado juntos en el ascensor después de la puesta de sol y cómo ella se preguntó si él iba a besarla. Ese había sido el principio de su viaje, de su amistad y de su relación de amantes.

¿Cómo era posible que aquel hombre frío fuera el mismo?

Nic no contestó a sus súplicas y, cuando se abrieron las puertas del ascensor, se volvió para salir.

Ella no pensaba perseguirlo por el hotel. Antes de que él saliera, Fran apretó el botón y el ascensor volvió a subir.

Nic se volvió hacia ella, enfadado. Deseaba poner fin a todo aquello. Sus emociones estaban fuera de control.

–¡Basta!

Una mano se movió en el aire con brusquedad, y Fran lo miró preocupada por lo que estaba sucediendo. Desde un principio había sabido que era un hombre duro, pero nunca lo había sido con ella. De pronto, lo estaba siendo.

Aquel no era Nic Rossi, el hombre que ella conocía, el hombre con el que había pasado unos días inolvidables. Era Nicolo Falcone, el multimillonario propietario de una cadena de hoteles, con miles de empleados a su cargo y una cartera de propiedades por todo el mundo. Nicolo Falcone, un hombre que se había labrado la fortuna a base de esfuerzo, empezando de la nada, todo a fuerza de voluntad.

Y los hombres como él eran despiadados y decididos.

Nic apretó el botón de parada del ascensor para detenerlo allí mismo. Entonces, habló.

–*Donna* Francesca –dijo, mirándola con frialdad–. Hágame el favor de no intentar retrasar mi salida. Y tampoco… –apretó los labios antes de advertirle–. No trate de contactar conmigo otra vez.

Apretó otro botón y las puertas se abrieron en una planta intermedia.

–Buenas noches, *donna* Francesca.

Él permaneció allí, esperando a que ella saliera.

Ella lo miraba desolada. Y él trató de ignorar el efecto ácido de su mirada. Entonces, ella salió del ascensor tratando de mantener la compostura.

Durante un segundo, Nic continuó sujetando la puerta. Después, apretó el botón para bajar al vestíbulo.

Una vez allí, salió del hotel hacia la calle. No quería recoger su coche, así que se dirigió caminando hacia Mayfair con una gélida expresión en el rostro.

Fran llegó al final del pasillo y abrió la puerta que daba a la escalera. Tenía que regresar a la fiesta, llevaba toda la vida aprendiendo que no se podía dar prioridad a los sentimientos ante las exigencias sociales. Sin embargo, los sentimientos la estaban destrozando por dentro. Ver a Nic otra vez y descubrir de golpe quién era en realidad... Mostrarle quién era ella, también sin avisar...

¿Sería únicamente que ambos se habían quedado sorprendidos?

No obstante, él parecía enfadado de descubrir que ella era *donna* Francesca.

«¡Yo no estoy enfadada por que él sea Nicolo Falcone! De hecho...».

Se detuvo un instante al llegar a la azotea. Que Nic fuera Nicolo Falcone era algo positivo. ¿Y no lo era también que ella fuera *donna* Francesca a la vez que la doctora Fran?

Si él era Nicolo Falcone y ella *donna* Francesca, entonces...

No obstante, al recordar a la mujer de cabello oscuro que estaba junto a Nic, lo comprendió todo.

Daba igual que Nic fuera Nic Rossi o Nicolo Falcone, no importaba, él había continuado con su vida. Por eso la rechazaba.

Ese era el motivo. Nic no quería nada con ella.

Tenía a otra persona, y no le importaba si ella era la doctora Fran o *donna* Francesca.

Era la única explicación.

Y era devastadora.

–¡Vito! –exclamó Eloise Viscari al acercarse a su marido–. ¿Es cierto que Nicolo Falcone se ha atrevido a venir esta noche?

Al instante, Fran se puso tensa al oír el nombre. La fiesta había terminado, pero Vito había invitado a Cesare y a Carla, y a Harry y a ella a cenar con ellos en la suite privada del hotel. Eloise, su esposa, no había asistido a la fiesta porque estaba en avanzado estado de gestación de su segundo hijo.

Fran hubiera preferido no ir, pero no podía escabullirse de las obligaciones sociales.

Fran era consciente de que Cesare la estaba mirando mientras ella esperaba la respuesta que Vito le daría a su esposa. Cesare la conocía lo bastante como para saber cuándo estaba disgustada, por mucho que ella intentara disimularlo. Ella no quería que él le preguntara el motivo.

Y menos cuando apenas sabía bien la respuesta.

–Sí, ha venido como acompañante de Lorna Linhurst –confirmó Vito.

–Bueno, o es la última amante de su larga lista o ella trata de trabajar para Falcone –dijo Eloise con tono sarcástico–. En cualquier caso, no conseguirá más trabajo de tu parte, Vito.

–¿Falcone? –Harry se unió a la conversación–. ¿Es el chico tan fuerte que nos presentaste? ¿El de la nariz rota? Un jugador de rugby…

–No –le corrigió Cesare–. Es el propietario de la cadena de hoteles Falcone.

–¡No puede ser! –comentó Harry–. Más bien parece un matón.

–Es una buena descripción –comentó Vito–. Sobre todo, para el mundo de los negocios.

Harry miró a Vito, pero fue Carla la que contestó.

–El año pasado estuvo a punto de adquirir la mitad de la cartera de Viscari mediante una jugada hostil. Al final quedó en nada, pero fue muy desagradable. Fue todo culpa mía. Debería haber evitado que mi madre, que es una tía de Vito, le vendiera las acciones.

Eloise estiró la mano hacia ella.

–Carla… no. No empecemos. Está todo arreglado.

–¡Solo porque tu madre recuperó los hoteles de Vito al comprárselos a los inversores de Falcone! –exclamó Carla.

–Esa es la ventaja de tener una madre que se administra su propio fondo –comentó Eloise–. Falcone ya no nos puede echar sus garras. Está furioso, pero ¿a quién le importa?

Fran los miraba con atención. ¿Qué estaban diciendo?

Eloise continuó:

–En cualquier caso, ha seguido comprando otras cosas. Lo último ha sido en Nevada, no en Las Vegas, sino en algún lugar del desierto.

Harry miró a Fran.

–Igual es el sitio al que fuiste el verano pasado para una conferencia. Tonio tuvo que sacarte de allí cuando el abuelo sufrió el ataque al corazón.

Todos se volvieron para mirar a Fran. Ella intentó hablar con calma.

–Sí, creo que acababa de abrir.

–¿Estaba bien? –preguntó Eloise–. ¡Solo estoy investigando a la competencia!

–Era un sitio muy lujoso –contestó Fran–. Y estaba en un sitio precioso en el desierto. El paisaje era espectacular –trató de hablar con normalidad a pesar de que en su cabeza albergaba todos los recuerdos de lo que había hecho con Nic.

Pestañeó para no pensar en ello.

Carla habló de nuevo.

–Su última compra ha sido en Nueva York. Ha encontrado una propiedad en Manhattan, ya que no podía tener la de Vito.

–¡Basta ya de hablar de Falcone, o de sus hoteles! –dijo Eloise.

Levantó la copa de zumo de naranja y miró a su marido, que estaba hablando con Cesare.

–¡Cariño, estamos a punto de brindar por tu éxito de esta noche! ¡Presta atención!

Todos se rieron y levantaron las copas hacia Vito. Fran se sentó en un sofá para tratar de calmar sus pensamientos, y se percató de que Cesare se había colocado de pie a su lado.

Cesare ladeó la cabeza y le preguntó:

–¿Ese es el motivo por el que Falcone se ha acercado a ti esta noche? ¿Lo encontraste en Nevada mientras estabas allí? –habló en italiano.

Fran tragó saliva.

–Lo conocí brevemente.

Se fijó en que Cesare se ponía tenso.

–Entonces, Francesca, espero que esto te lo tomes bien. Al verte con él me preocupé y por eso me acerqué. Vito también está preocupado, puesto que conoce bien su reputación. Nicolo Falcone tiene fama de mujeriego, así que...

Fran lo interrumpió con brusquedad.

–Cesare, agradezco lo que me dices, pero...

Él sonrió.

–Sí, lo sé... no es asunto mío, sin embargo, nos conocemos desde hace mucho tiempo, así que reclamo el privilegio de hablarte de modo fraternal. No me gustaría ver cómo alguien sin escrúpulos te... Entonces, si Falcone te estaba molestando esta noche...

Ella negó con la cabeza. La que lo había importunado era ella, al exigirle que le hablara.

–Me sorprendió verlo allí, eso es todo –dijo ella–. Como a todo el mundo, al parecer –frunció el ceño–. No sabía que él había intentado adquirir Viscari y había perdido.

–Salió en los titulares de la prensa financiera en Italia, pero tú estabas en los Estados Unidos –dijo Cesare–. Hay mucha tensión entre Falcone y Viscari.

Fran se sintió aliviada al ver que no tenía oportunidad de responder. Harry se había acercado a ellos, mientras se comía un muslo de pollo.

–Fran, cariño, me voy de juerga. Tienes llaves del apartamento, ¿verdad?

Fran asintió. La mayor parte de la familia utilizaba el apartamento del padre de Harry en Chelsea, cuando estaban en la ciudad. Ella se puso en pie. Deseaba marcharse.

Aprovechando que Harry se marchaba, ella se despidió de los demás. Le pareció que había pasado una eternidad antes de subirse al coche que Vito había llamado para que la llevaran a casa. Por fin a solas, recordó todo lo que había oído decir en la suite de Vito.

¿Era ese el motivo por el que Nic se había mostrado tan hostil con ella? ¿Porque era la invitada de Vito Viscari? ¿Porque la había asociado con el hombre que era su rival? Aparte del hecho de que ella fuera la última persona que quería volver a ver, una vez que él se había cruzado con otra mujer, y que pensara que ella todavía continuaba viviendo en la Costa Oeste.

Fran suspiró con fuerza para liberar todas las emociones que estaba experimentando desde el desastroso encuentro con Nic en la azotea y la conversación que habían tenido cuando ella salió tras él. ¿Cómo habían llegado a eso? ¿Por qué Nic, el hombre que la había llevado en brazos, con el que se había reído y hecho el amor, se comportaba con ella de esa manera?

Quizá la aventura amorosa hubiera terminado, pero ella se negaba a permitir que lo único que tuvieran fuera esa frialdad y distancia.

«Nos separamos como amigos. No quiero recordarlo así, como se ha portado esta noche».

Con las manos en el regazo, miró por la ventanilla del coche mientras doblaba en Mayfair, para dirigirse hacia Chelsea. De pronto se sobresaltó. Sobre las columnas blancas que había en la entrada de un edificio había una bandera azul con un halcón dorado.

–¡Pare el coche!

El chófer se detuvo junto a la acera. Desde allí ella pudo leer las letras doradas sobre la puerta.

Falcone Mayfair.

Fran tragó saliva, consciente de que el chófer estaba esperando instrucciones. Y de mucho más. De un deseo que no podía parar. Un deseo al que debía obedecer.

Pasar por delante del hotel Falcone así sin más... ¿Sería una señal? Una señal para que hiciera lo que le rondaba por la cabeza.

«Tengo que hacerlo. No puedo dejarlo tal y como está. No permitiré que él estropee mis recuerdos acerca del tiempo que hemos pasado juntos».

Se apresuró para salir del coche y entró en el hotel. Aunque no sabía si Nic estaría allí, al menos preguntaría e intentaría descubrir dónde estaba si no lo encontraba.

Enderezó la espalda y se acercó a la recepción como si fuera la dueña del mundo. A veces, ser *donna* Francesca, la nieta del duque de Revinscourt, y llevar un elegante vestido y un collar de zafiros podía resultar útil.

–Buenas noches –dijo con una sonrisa–. ¿Puede decirme si el señor Falcone ha regresado ya? Hemos estado juntos esta tarde y quedamos en vernos después.

La recepcionista contestó con prudencia.

–Eso creo, señorita, pero permítame que lo compruebe –descolgó el teléfono–. Señor Falcone, hay alguien esperándolo en la recepción –la mujer miró a Fran, como para que le dijera su nombre.

Fran sonrió. Estaba muy nerviosa, pero disimuló.

–Lorna Linhurst –contestó con calma.

Capítulo 6

NIC ESTABA sentado al escritorio de su residencia, intentando concentrarse en los datos de ocupación que tenía en la pantalla. No tuvo éxito. Solo era capaz de pensar en una cosa, y no podía quitársela de la cabeza. La imagen de Fran era completamente real, tal y como la había visto esa tarde. Y más bella que nunca.

Maldiciendo, retiró la silla y miró a su alrededor. Su residencia estaba en la última planta, en lo que había sido la zona de los sirvientes de la antigua mansión. Quizá algunos pensaban que era el lugar ideal para él.

En cualquier caso, él era el propietario de la mansión y de otras propiedades de millones de dólares. ¡No le había ido mal para ser un chico que se había criado en un barrio pobre! Un chico de barrio pobre que había tenido una aventura con la hija de un *marchese.*

«*Donna* Francesca».

Un título que, aunque apenas se usara, evocaba siglos de educación esmerada, tierras y privilegios, blasones, antiguas mansiones y *palazzos* históricos llenos de valiosas obras de arte. Nobles casándose entre sí, excluyendo a los extraños y colaborando entre sí para mantener sus privilegios.

Quizá Italia fuera una república, pero eso no significaba nada para aquellos que habían nacido en la aristocracia.

No se habían esforzado para conseguir nada, solo lo habían heredado. Igual que Vito Viscari había heredado la fortuna de su padre y de su tío, quienes se habían ocupado de que su camino fuera fácil y nunca tuviera que luchar por nada, quitándole de en medio a todo aquel que se interpusiera en su camino, igual que lo habían apartado a él para favorecer a su heredero Viscari.

Un sentimiento de desprecio se apoderó de él, el mismo desprecio que había mostrado aquella noche, ante una mujer que evocaba un mundo de privilegios y aristocracia. También la rabia. Rabia por el hecho de que ella no fuera quien él había creído que era.

«Pensaba que era la doctora Fran Ristori, con su cabello dorado, una sonrisa que me cortaba la respiración y un cuerpo que se fusionaba con el mío como si fuéramos uno».

Ardientes recuerdos lo invadieron al instante.

Y pensar que había estado a punto de romper su norma de toda la vida y de volver a ponerse en contacto con ella, para tratar de volver a compartir su tiempo juntos. ¡Menos mal que no lo había hecho! Por suerte, había continuado con su vida, como siempre.

Independientemente de quién fuera, había terminado su relación con ella. Entonces, ¿por qué le importaba que fuera la hija de un marqués?

El teléfono que tenía sobre el escritorio comenzó a sonar y Nic contestó.

–¿Diga?

Su tono era cortante. ¿Quién lo buscaba a esas horas de la noche? No tenía humor para ser agradable. Entonces, cuando la recepcionista le dio el nombre de la inesperada visita, frunció el ceño. Era una visita inesperada, pero la aprovecharía al máximo.

¿No estaba pensando en continuar con su vida? Pues... Su expresión cambió de nuevo. Era el momento. No sabía qué era lo que quería Lorna, pero se aprovecharía de ello. Abriría una botella de champán y le demostraría que estaba interesado en algo más aparte de en su talento como diseñadora de jardines, a ver qué decía ella.

Quería que dijera que sí.

Los recuerdos lo invadieron al instante. Antes había querido que fuera otra mujer la que dijera que sí.

«¡Basta!».

–Dígale a la señorita Linhurst que es bienvenida –le dijo a la recepcionista.

Colgó el teléfono y se dirigió al mueble de las bebidas para sacar una botella de champán y colocó dos copas a su lado antes de asegurarse de que la luz ambiental era la adecuada para el mensaje que quería trasladar a la mujer que lo ayudaría a olvidarse de la mujer que no paraba de recordar...

Llamaron a la puerta con suavidad. Él se acercó y abrió con una amplia sonrisa.

–Lorna, qué sorpresa tan agradable... –comentó.

Entonces, la sonrisa se borró de su rostro inmediatamente.

Fran entró en la habitación antes de que Nic pudiera detenerla.

–¿Qué diablos…?

No había nada de acogedor en su tono de voz.

–¡Nic, tengo que hablar contigo! –lo miró a los ojos y todo su cuerpo reaccionó.

Él llevaba el esmoquin todavía, pero tenía el botón superior de la camisa desabrochado y la pajarita colgando. Su barba incipiente le daba aspecto de hombre duro.

¿Cuántas veces había acariciado su mentón mientras estaban tumbados en la cama, por la noche o por la mañana, hasta que él le había sujetado el dedo y acercado su boca a la de ella para besarla de forma apasionada?

Nic soltó una palabra malsonante en italiano, sin importarle que ella pudiera entenderla. Estaba poseído por la rabia. Y por algo de sorpresa también.

Había tenido su imagen grabada en la mente y, de pronto, ella estaba allí. Igual de atractiva que había estado en la azotea de Viscari. Y él comprendió que no habría podido olvidarla manteniendo una aventura con Lorna.

Posó la mirada sobre el vestido de seda azul, y se fijó en los zafiros que llevaba alrededor del cuello y en su melena dorada recogida sobre su cabeza. La *donna* Francesca con toda su grandeza aristocrática.

Entonces, registró sus palabras.

«¡Tengo que hablar contigo!».

La rabia se apoderó de él. ¡No, no tenía que hablar con él! No quería saber nada de ella.

–No deseo oír nada, *donna* Francesca –le dijo con tono frío.

Los ojos de Fran se llenaron de brillo y él se percató de que también era rabia.

–Da igual, Nic, ¡vas a oírlo de todas maneras! ¡No permitiré que me trates así!

Al instante, él entornó los ojos y habló con voz gélida.

–¡No me des órdenes de aristócrata! ¡No me impresionas! Quién sabe cómo has entrado aquí, pero ¡ya puedes marcharte!

Se acercó a abrir la puerta, pero Fran llegó antes que él.

–¡Nic, no! –exclamó–. Nic, escúchame. No tiene sentido que me trates así. Soy Fran. Al menos, me debes cierto respeto. No te he hecho ningún daño. Escucha... –respiró hondo–. ¡No descargues tu rabia conmigo! Yo no tengo nada que ver con lo que esté sucediendo entre Vito y tú. Ni siquiera sabía que habías tratado de comprar la mitad de su empresa y que te la habían quitado. ¿Cómo iba a saberlo? Ni siquiera sabía que tú eras Nicolo Falcone. Te aseguraste de que no me enterara.

–¡Y tú te aseguraste de que yo no me enterara de quién eres en realidad!

–¡Porque era irrelevante! –soltó ella–. No era relevante entonces, y tampoco lo es ahora –suspiró y le tendió la mano–. Nic, por favor, no seas así. Compartimos algo muy bueno... ¡no lo estropees ahora! No estropees esos recuerdos...

Se calló para contener la emoción que la invadía por dentro. Seguía con la mano estirada hacia Nic, pero él no se movía.

Tras su expresión de acero, Nic notaba que algo cambiaba en su interior. Ella estaba allí. La mujer a la que pensaba dejar como parte del pasado lo estaba mirando con una expresión de súplica.

–¡Había cosas buenas, Nic, y no me merezco que me muestres hostilidad!

Algo cambió en su mirada. Los recuerdos provocaron que el calor lo invadiera por dentro. Era el calor que ella generaba con su bonito cuerpo, un cuerpo que él conocía a la perfección.

Sin pensarlo, Nic dio un paso hacia ella y le acarició la mejilla con delicadeza.

–¿Quieres que te diga lo que hubo entre nosotros? ¿Quieres que te lo muestre?

Habló en tono sensual mientras le acariciaba los labios.

–¡Nic, no! No he venido aquí para... –levantó la mano para retirarle los dedos–. Nic, sé que ahora hay alguien más en tu vida, ¡otra mujer! Sé que lo que tuvimos ha terminado.

Nic carraspeó y sus ojos se iluminaron.

–No hay otra mujer –comentó.

¿Cómo podía haber otra mujer cuando esa mujer había reaparecido en su vida provocando que se volviera loco? Tal y como había ocurrido la primera vez que la vio.

Tal y como ocurriría siempre... Cada vez que...

Era la verdad. Nic siempre la desearía. No podía resistirse a ella.

Se fijó en que Fran suspiraba al oír sus palabras. Notó que se le dilataban las pupilas y que sus mejillas se sonrosaban. Le acarició la mejilla una vez más y deslizó la mano hasta su nuca para atraerla hacia sí.

Ella susurró su nombre y él le cubrió los pechos con la otra mano, acariciándole los pezones a través del vestido.

Un intenso deseo se apoderó de él, y el resto del mundo dejó de existir. Entonces, reconoció un gemido. Era un gemido de placer, de excitación sexual.

–Nic... –su tono era de súplica.

–¿Quieres que te demuestre lo que había entre nosotros? –dijo él otra vez, entornando los ojos y acercando la boca a la de ella.

La besó despacio y con delicadeza hasta que ella gimió. Eso no debía suceder. Fran no había ido para eso.

Sin embargo, era incapaz de detenerlo. Dejó el bolso en el suelo y le acarició la espalda con ambas manos. Al sentir el calor de su cuerpo, pronunció su nombre una vez más. No había ido para eso... Había ido para hacer las paces, para...

«He venido para esto».

La verdad que había negado en todo momento apareció en su cabeza.

–Oh, cielos, Nic... ¡Nic! –exclamó medio gimiendo, medio susurrando, y entonces comenzó a besarlo con fervor, como si una llama poderosa estuviera consumiendo el mundo.

Todo lo demás dejó de existir. Solo estaba Nic y su manera de besarla, de acariciarla. También su miembro erecto presionando contra su entrepierna. Él la deseaba. La deseaba con tanto deseo como ella a él.

Nic... El hombre que la tomaba en brazos para llevarla a otra habitación y dejarla sobre una cama antes de besarla de nuevo. El hombre que lo único que deseaba era estar allí, con Fran. Aunque sabía que era lo último que debía hacer. Sin embargo, no era capaz de pensar de forma racional. Le retiró la ropa y encontró su cuerpo desnudo, esperándolo. Ella lo miraba con las pupilas dilatadas, y la mirada cegada por la pasión y el deseo.

Una pasión que también lo estaba cegando a él.

No podía resistirse, pero tampoco quería hacerlo. Solo quería poseerla.

Y tras un gemido triunfal, la poseyó. Y ella lo poseyó a él, rodeándolo con sus piernas para que no pudiera escapar.

No hasta que la imparable y poderosa fuerza del deseo se apoderara de él y comenzara a jadear con fuerza.

Él podía sentir el cuerpo de Fran rodeando su cuerpo y convulsionando una y otra vez, gemido tras gemido, hasta que sus cuerpos quedaron exhaustos sobre las sábanas, y él la abrazó, de forma que sus cuerpos sudorosos yacían unidos, y sus corazones latían al unísono.

Nic pronunció el nombre de ella varias veces, y cerró los ojos, permitiendo que el sueño se apoderara de él.

Con Fran entre sus brazos. En el único lugar que deseaba tenerla...

Fran se movió en la cama. Le pesaban las piernas, pero las arrastró bajo la sábana, buscando... Buscando el cuerpo cálido de Nic.

Él no estaba allí.

Ella abrió los ojos de golpe y miró hacia la puerta. Nic estaba allí, mirándola en silencio y vestido con un albornoz blanco.

–Has de irte –dijo él, y pulsó un interruptor para

que se encendieran las lamparitas que había junto a la cama–. Has de marcharte –repitió.

Ella lo miró. Había algo extraño en la expresión de su rostro. Era como si estuviera tallado en piedra.

–Lo que ha sucedido no debería haber pasado –dijo él–. Ha sido un error.

Fran notó que se le aceleraba el corazón. Era lo único que podía sentir. Nada más… Era como si tuviera un muro de contención en su interior.

Él respiró hondo.

–Vístete. Un coche vendrá a buscarte para llevarte donde tengas que ir.

Nic se dio la vuelta y Fran susurró su nombre en silencio. No podía pronunciarlo en alto. No lo haría. Bajó de la cama y recogió su ropa interior, el vestido y el collar que estaba en la mesilla…

Se vistió y se recogió el cabello. Le temblaban las manos y el corazón le latía muy acelerado. Se dirigió al salón.

Nic se volvió para mirarla. Se agachó para recogerle el bolso y se lo entregó sin decir nada.

Ella agarró el bolso, evitando rozarle los dedos, y guardó el collar.

–Gracias –murmuró sin mirarlo, y se dirigió a la puerta.

Él la abrió para que saliera, y ella lo miró un instante y dijo:

–Adiós, Nic. No volveré a molestarte. Te lo prometo.

Se dirigió al ascensor y al ver que las puertas estaban abiertas, entró directamente. Las puertas se cerraron y Nic desapareció de su vista.

De su vida.

Nic permaneció de pie, mirando las puertas cerradas del ascensor. La había echado. Era lo que quería hacer. Lo que necesitaba hacer. Al despertar, se había percatado de que lo que había sucedido no tenía sentido. Era imposible.

«Has de marcharte».

Ella debía regresar al mundo del que provenía, volver a ser la persona que era… *donna* Francesca, la persona con la que él no quería tener nada.

«Nada».

Era lo único que tenía sentido. Nada más. Y menos, la sensación de vacío que lo inundaba por dentro.

Capítulo 7

FRAN caminaba de forma apresurada frente a King's College Chapel, y se estremeció al sentir el viento frío que soplaba de los Backs. ¿Era el frío o se había puesto enferma? Llevaba una semana que no se encontraba bien.

Lo que menos le importaba era tener un virus. Lo peor era la sensación de tristeza que se había apoderado de ella.

«¿Cómo pude permitir que sucediera?».

Trató de pensar en otra cosa, pero las palabras continuaron en su cabeza. Una vez más, sintió náuseas. Debería haber cancelado la comida de compromiso que tenía, pero era demasiado tarde. Cesare la estaría esperando.

Él estaba todavía en el Reino Unido, y había ido a Cambridge con Carla, que tenía una entrevista con un especialista de arte en Fitzwilliam. Le había sugerido a Fran que se encontraran para comer. A Fran le había costado decirle que no, a pesar de que no le apetecía nada.

No estaba de humor para socializar. Solo le apetecía concentrarse en el trabajo y bloquear todo lo demás en su cabeza. Bloquear cada recuerdo, sobre todo, aquel que todo el rato trataba de aparecer y que ella no debía permitir.

Miró la imponente fachada de la universidad y experimentó un sentimiento de claustrofobia. Cambridge se le estaba quedando pequeño. Aparte de su trabajo, ya no le ofrecía nada más. Ya no encontraba atractivas las tradiciones arcaicas, y menos después de haber estudiado en los Estados Unidos y disfrutado de la libertad.

Y no se refería a la libertad académica exactamente.

«¡No, no pienses en eso! No pienses en nada que no sea el presente».

Debía pensar en que había quedado con Cesare para comer, aunque no le apeteciera. No quería que él percibiera su nerviosismo y que se preguntara el motivo.

No era fácil ocultarle cosas a Cesare, y lo último que deseaba era que él volviera a hacerle advertencias sobre Nicolo Falcone.

De nuevo, sintió náuseas y se paró para respirar hondo. Tenía los senos hinchados, como si estuviera premenstrual...

Fran frunció el ceño, confundida. Su ciclo solía ser regular y normalmente tenía síndrome premenstrual un par de días antes del período, no una semana... Entonces, ¿por qué?

Se detuvo en seco y se cubrió la boca con la mano horrorizada. No... ¡no podía ser! El recuerdo se apoderó de ella. Aquella noche no debería haber sucedido lo que sucedió.

«¡Nic usó protección! ¡Debió usar protección!».

Ella no recordaba nada, nada excepto la pasión que la había consumido.

Sorprendida, comenzó a adentrarse por las calles de Cambridge en busca de una farmacia.

Fran no sabía cómo había sobrevivido a las dos horas siguientes. De algún modo, sobrevivió a la comida. Cesare debió de notar lo distraída que estaba, pero por suerte no hizo ningún comentario al respecto.

Solo una vez, al ver que ella contestaba de forma aleatoria, le preguntó si se encontraba bien. Ella hizo una mueca y le dijo que tenía un virus, antes de cambiar de tema y contarle que su madre y su hermana estaban preparando la fiesta de compromiso de Adrietta, a la que Cesare y Carla estaban invitados.

Entonces, al final de la comida, cuando ella se estaba poniendo en pie, Cesare le retiró la silla. Fran estaba muy nerviosa y, cuando se disponía a agarrar su bolso, se le cayó al suelo y se abrió. Rápidamente trató de recoger todo lo que se le había caído y de ocultar el paquete que había comprado en la farmacia.

Estaba deseando llegar a casa y descubrir la verdad.

–¡Francesca! –exclamó Cesare sorprendido.

Ella agarró el bolso contra su pecho como para esconderlo, pero al mirar a Cesare supo que era demasiado tarde.

–¡No es asunto tuyo, Ces! –dijo furiosa.

Él se puso tenso y ella se arrepintió de haber hablado en ese tono.

–Sí, sé que quieres protegerme. Me lo has dicho en

otras ocasiones. ¡Y yo te he dicho que no es necesario!

Cesare la miró un instante.

–Si la prueba da positivo, ¿se lo vas a decir?

No dijo el nombre «Falcone», pero era lo mismo. Ella se mordió el labio inferior, incapaz de contestar. Cesare habló de nuevo.

–Un padre tiene derecho a saberlo, Francesca.

Ella cerró los ojos.

–Ces, por favor. ¡No puedo hablar de esto! Ni siquiera sé cuál será el resultado de la prueba. Solo sé que, si es positivo, no será una buena noticia para él.

Cesare no contestó hasta que salieron del restaurante.

–Un padre también tiene la obligación de saber...

–¡Quizá no tenga que saber nada! Es mi problema, y yo me enfrentaré a él si es necesario.

Al cabo de una hora, Fran miró la línea azul que apareció en el palito blanco y supo que realmente tendría que enfrentarse a dicha situación.

Nic había regresado a Roma. La adquisición de Manhattan había sido un éxito, y una buena ampliación de la cartera de hoteles Falcone. Las nuevas inversiones atraían nuevas inversiones. Y hasta entonces, el Falcone Manhattan se había nutrido de viejas inversiones. Él no estaba interesado en ellas.

Ni en las personas que podían hacerlas. No le gustaba el dinero de las personas que ostentaban títulos del pasado. Ni aunque aparecieran con el cabello rubio hasta la cintura, y su belleza iluminara la noche.

No. Fran debía permanecer fuera de su vida. Todo lo demás era imposible.

«No quiero tener nada que ver con su mundo… Nada».

Él retiró la silla y se acercó a la ventana para contemplar Roma.

«Has de olvidarla. Tienes que hacerlo. Has de querer olvidarla…».

Sonó el teléfono de su escritorio y descolgó. Era su asistente personal.

–Tiene una visita, señor Falcone. No tiene cita, pero… –habló dubitativa–. Es *il conte* di Mantegna…

Nic se quedó paralizado.

–Hágalo pasar –dijo él.

Cuando se abrió la puerta, su asistente personal hizo pasar a su inesperada visita.

Cesare di Mondave, *il conte* di Mantegna, entró en el despacho como si el mundo le perteneciera.

–Falcone –dijo Cesare, mirando a Nic.

–*Signor il conte* –contestó él con voz neutral, a pesar de que todo su cuerpo estaba en alerta.

–No he venido a pelear con usted, Falcone –murmuró–. Quizá prefiera sentarse.

–¿Usted cree? –preguntó Nic, permaneciendo de pie.

–Sí –dijo Cesare, sentándose en una silla frente al escritorio, sin esperar a que lo invitaran a hacerlo.

Nic se sentó en su silla y miró a *il conte*. ¿Qué diablos sucedía?

Enseguida lo descubrió.

–Voy a tener la cortesía, Falcone, de pensar que no tiene noción alguna de lo que voy a decirle.

Nic entornó sus ojos azules.

–¿Y es…?

Cesare lo miró fijamente.

–¿Es consciente, Falcone, de que Francesca pudiera estar embarazada?

Nic sintió que se quedaba sin aire.

–¿Qué? –soltó, inclinando el cuerpo hacia delante y presionando con fuerza los brazos de la silla.

–¿No niega la posibilidad?

Había algo en el tono de Cesare di Mondave que indicaba que no estaba seguro de lo que había comentado.

–¿De veras cree que es asunto suyo? –preguntó Nic muy serio.

Cesare entornó los ojos antes de responder.

–*Donna* Francesca siempre tendrá mi protección. Por eso estoy aquí. Ahora que lo sabe, puede hacer lo correcto.

–¿Y qué es lo correcto para el *signor il conte* di Mantegna?

Entonces, Cesare se levantó de golpe y apoyó las palmas de las manos con fuerza sobre el escritorio.

–Si necesita que se lo diga, Falcone, ¡preferiría tirarlo por la ventana ahora mismo! ¡Y dejarlo en la calle para que se lo coman los perros! ¡Tiene veinticuatro horas antes de que yo le diga que se lo he contado! Fran estará en Roma hoy. En casa de sus padres.

Cesare salió del despacho. Nic permaneció sentado. No tenía fuerzas para moverse. En su cabeza, el caos había dejado paso a una sola cosa. Una emoción. Una urgencia.

Agarró el teléfono y dijo:

–Necesito una dirección, ¡inmediatamente! –le pidió a la asistente–. La residencia de Roma del *marchese* d'Arromento. ¡Ahora mismo!

Fran estaba redactando su dimisión para enviársela a su profesor. No podía continuar en Cambridge, ni siquiera quedarse en Europa. Tenía la mente demasiado ocupada para pensar en el trabajo, y por eso había ido allí, al apartamento que sus padres tenían en Roma, después de asistir a la fiesta de compromiso de Adrietta, donde había tenido que esforzarse para aparentar que estaba tranquila y relajada.

Cesare también había asistido a la fiesta con Carla, y puesto que Fran no le había dicho que el resultado de la prueba de embarazo había dado negativo, él había sabido que era positivo.

Fran se cubrió el vientre de forma instintiva. No había nada que indicara el profundo cambio que estaba sufriendo su cuerpo. En apariencia, todo era como siempre. Pasarían semanas antes de que su embarazo fuera evidente.

«Es como la luz de las estrellas… La luz tarda años en alcanzarnos. Tanto que a veces las estrellas ya se han apagado cuando su luz nos alcanza».

Su embarazo sería así… Ella se habría marchado antes de que se hiciera evidente.

Y tarde o temprano, el bebé nacería y ella tendría que enfrentarse a todo lo que implicaba. Entre otras cosas, a lo que sabía desde un primer momento.

«No puedo decírselo. No puedo. No importa lo que

diga Cesare. Nic no podría haber dejado más claro que no quiere saber nada de mí».

No, no podía decírselo.

Lo único que podía hacer era marcharse lo más lejos posible y buscar una vida nueva para ella y su bebé. No tenía alternativa.

De pronto, cerró los ojos como para soportar el peso que sentía.

Estaban llamando al timbre. Ella lo oyó, pero lo ignoró. Deseaba que parara. No obstante, continuó sonando de forma insistente.

Fran se puso en pie y se dirigió a la puerta. Sus padres tenían doncella, pero Fran le había dado el día libre para estar a solas.

Quitó los cierres de seguridad de la puerta de doble hoja y abrió una de ellas.

Se dejó caer sobre la otra hoja.

Era Nic.

Nic entró y cerró la puerta de un portazo. La miró de arriba abajo y preguntó.

–¿Es cierto?

–¿El qué? –dijo ella.

–Que estás embarazada.

Ella se quedó de piedra.

–¿Cómo...?

–Mantegna... ¡Acaba de venir a verme!

«Para decirme lo que tengo que hacer, algo que no era necesario. Lo sabía desde el primer instante en que pronunció las palabras».

Una intensa emoción lo invadía por dentro, como

una tempestad. Y de pronto, vio que Fran se tambaleaba.

Fran notó que se mareaba y oyó que Nic maldecía antes de acercarse para tomarla en brazos.

Él la llevó al opulento despacho de sus padres, y la sentó en un sofá tapizado en seda del siglo XVIII. Después, permaneció de pie junto a ella, demandando la verdad.

La verdad que ella le había ocultado. ¿Qué sentido tenía contarle a un hombre que no la quería que llevaba a su hijo en el vientre? Un hijo que él no deseaba.

–¡Dímelo! ¡Necesito saberlo!

Ella respiró hondo y lo miró, preparándose para hablar.

–No, Nic. No necesitas saberlo. Y yo no quería que lo supieras... ¿Qué sentido tiene?

Fran se puso en pie. Quería hablar estando de pie. Decirle lo que necesitaba decirle. Mantener sus emociones al margen. ¿Para qué servían las emociones en un momento así?

Con una fortaleza que no era consciente que poseía, habló con voz clara.

–Nic, lo que sucedió en los Estados Unidos fue una aventura temporal para los dos. Ambos lo sabíamos. Y lo que sucedió en Londres, fue un error –apretó los labios–. Eso también lo sabíamos, tú me lo dijiste, y yo estoy de acuerdo.

–Un error que ha tenido consecuencias.

–Consecuencias que yo asumiré –dijo ella, mirándolo a los ojos–. Nic, yo viviré en Norteamérica. No te molestaré más. Te doy mi palabra –suspiró–. Seré una madre soltera y estaré bien. Trabajaré media jornada. No necesito un sueldo para vivir. Tendré ingresos suficientes gracias a un fondo que mi padre abrió a mi nombre cuando nací. Como verás…

Él gesticuló en el aire para silenciarla.

–No. Eso no sucederá –sus ojos azules tenían una mirada penetrante–. Nos casaremos.

Fran lo miró asombrada.

–No hablarás en serio –dijo con incredulidad.

–¡Y tú no pensarías que iba a decir otra cosa! –exclamó él, desconcertado por la mezcla de emociones que sentía.

Ella lo miraba como si estuviera loco. Como si hubiera dicho algo que ella no esperaba oír.

–Nic, dejaste muy claro que no querías tener nada que ver conmigo y, ¿ahora hablas de matrimonio?

–¡Por supuesto! ¿Pensabas que no lo haría?

Ella negó con la cabeza. Confusa, sintió que le flaqueaban las piernas y se sentó.

Nic continuó de pie, mirándola.

–Nos casaremos y no hay más que hablar. Tendremos que pensar dónde vamos a vivir… Si es necesario, yo puedo trasladar mi base a la Costa Oeste, si tu intención es seguir trabajando, pero, si no, Roma sería lo mejor para mí. Siempre y cuando te venga bien. Tendremos que comprar una casa o un apartamento que nos guste a los dos, por supuesto. Eso no será un problema, así que…

–¡Basta, Nic! Das por hecho que yo… Que nosotros…

Él se puso muy serio.

–No hay otra alternativa –contestó.

«Ningún hijo mío nacerá siendo un bastardo, como fui yo, aunque eso signifique que tenga que casarme con una mujer que no elegiría. Una mujer que representa todo lo que detesto».

Fran habló de nuevo.

–Nic, dame tiempo.

–No tenemos tiempo. Has de aceptar que debemos casarnos cuanto antes –sus ojos se oscurecieron–. Haz todos los arreglos que necesites.

Él no quería nada más que una boda rápida y privada. Un documento que los casara legalmente. Se puso serio. En algún momento tendría que conocer al *marchese* y a la *marchesa*, los padres de Fran. Al igual que a sus parientes de la aristocracia británica... Como a aquel joven que bebía champán en la fiesta de Viscari. ¿Cuántos serían? Docenas... Todos esos aristócratas eran parientes, así que en Italia también habría montones.

La voz de Fran interrumpió sus pensamientos. Ella estaba de pie otra vez, mirándolo.

–Nic, escúchame. Escúchame.

Él la miró.

–Es necesario –soltó.

Durante unos instantes se miraron en silencio. La tensión era palpable. De pronto, él notó un cambio en sus emociones.

«Lleva a mi hijo en el vientre. Todavía es invisible, pero está ahí. El bebé me une a ella. Y a ella a mí. Más allá de todo lo que nos separa».

De pronto, experimentó otra emoción que no fue capaz de explicar. Su hijo crecía en silencio en el vientre de Fran.

La sujetó por los hombros y notó que se sobresaltaba. Inhaló el aroma que desprendía su piel y después la miró. Vio confusión en su mirada, e incertidumbre. Él mostraría seguridad por los dos.

–Fan... –era la primera vez que mencionaba su nombre desde hacía mucho tiempo, y recordó cómo había intentado relegarla al pasado.

Ya no pertenecía allí. Debido a la locura y a la debilidad que él había mostrado aquella noche, ella formaba parte de su presente y de su futuro.

Pronunció su nombre de nuevo. Sin mencionar su título... Un título que deseaba que no tuviera. Después, respiró hondo y sin quitar las manos de sus hombros, dijo:

–Podemos hacer que esto funcione. Podemos y debemos –Nic dijo lo que debía decir, a pesar de todo lo que ella había hecho desde que descubrió que estaba embarazada–. Sé que no será fácil, pero hay que hacerlo.

Ella lo miró con tristeza y frustración.

–Ninguno de los dos quiere hacerlo, ¿no?

Él no contestó. No era necesario. Ella conocía su respuesta gracias a su mirada velada, a la presión de sus manos sobre sus hombros. Esas manos fuertes que le habían acariciado el cuerpo hasta llevarla al éxtasis...

No era el momento de pensar en eso. Notó que se le aceleraba el corazón y dio un paso atrás para provocar que retirara las manos. Sin ellas se sentía inestable, pero ignoró la sensación.

–Creo que deberías irte, Nic –dijo ella–. Los dos necesitamos tiempo para asimilar esto.

Él no se movió.

–¿Aceptas que no tenemos otra opción que no sea casarnos?

Fran escuchó aquella palabra otra vez. La opción le parecía tan irreal que le resultaba imposible de contemplar.

Aunque debía hacerlo.

–Supongo –contestó con voz de derrota–. No sé qué pensar, ni qué hacer –se pasó la mano por la frente.

–Por ahora, nada. Descansa. Hablaremos esta noche... Haremos planes –dijo con voz seria, como de negocios.

–Nic, esta noche no puedo. He quedado con Cesare y su esposa para cenar. Está todo organizado.

Él la miró fijamente. Estuvo a punto de decir que cancelara la cena, pero cambió de opinión.

–Entonces, yo también iré –anunció.

Ese maldito Cesare podría aguantar su compañía. Y así anunciaría a *il conte* y al mundo que Fran y él eran pareja. Al margen de lo que sus amigos aristócratas pensaran acerca de que ella se casara con un nuevo rico multimillonario que se había criado en las calles de Roma.

Fran lo miraba confusa. Quizá era buena idea que Nic la acompañara esa noche, quizá deberían comportarse como una pareja, si es lo que eran, o lo que tenían que ser. ¿Y con quién mejor que con Cesare y Carla para empezar? Después de todo, había sido Cesare quien había enviado a Nic allí.

«¿Y eso es lo que yo quiero? ¿Que Nic y yo nos casemos por obligación? ¿Es lo que quiero de verdad?».

Quizá no fuera tan importante lo que ella quisiera, quizá Nic tuviera razón y casarse fuera su única opción...

–Entonces, ¿a qué hora quieres que te recoja?

–Umm... ¿A las ocho te viene bien? He quedado con ellos a las ocho y media y siempre hay tráfico. Nic, es en el Viscari. Carla siempre va allí. Me imagino que no quieres...

Él esbozó una sonrisa.

–Sobreviviré –dijo muy serio antes de sacar una tarjeta del bolsillo–. Este es mi número de móvil. O mi asistente personal te informará de dónde estoy.

Ella agarró la tarjeta con manos temblorosas.

–Será mejor que yo te dé el mío también –dijo ella.

«Ni siquiera tenemos nuestros números de teléfono, pero vamos a casarnos».

Fran sintió un nudo en la garganta. En ese momento, Nic le entregó otra tarjeta y un bolígrafo para escribir. Ella reconoció que era de diseño y de precio desmesurado. Nada como lo que Nic Rossi, el hombre que trabajaba en el equipo de seguridad de Nevada, podría haberse comprado.

Notó que algo se rasgaba en su interior, era un recuerdo destrozándose, cuyos restos volarían con el viento del desierto, para siempre...

Le devolvió la tarjeta con su número de teléfono y el bolígrafo y lo miró.

«No es Nic Rossi. Nunca lo fue. Es Nicolo Falcone, un multimillonario que va a casarse por obligación con una mujer solo porque se ha quedado embarazada por error».

¿De qué le servía pensar en eso? ¿Recordar al hombre que creía que era y que nunca fue?

–Hasta esta noche –le dijo ella.

Donna Francesca hablando con Nicolo Falcone.

Él respiró hondo y guardó la tarjeta y el bolígrafo.

–Hasta esta noche –contestó.

Entonces, salió de la habitación y se marchó del apartamento, dejando atrás a la mujer con la que iba a casarse por el bien de su hijo. No por otro motivo.

Sus palabras ardían en su cerebro, grabando la verdad en su conciencia.

Capítulo 8

AL VISCARI –Nic habló con brusquedad al dar la dirección de dónde se dirigían, cuando el coche arrancó frente al apartamento del *marchese* d'Arromento.

Su chófer lo miró sorprendido.

–Me has oído bien –dijo Nic.

No había entrado en el Viscari Roma desde hacía años, cuando se marchó después de que le entregaran en bandeja el puesto para el que Nic se había esforzado tanto en conseguir a un joven mimado.

A su lado estaba el motivo por el que ese día iba a volver a entrar.

Fran se había sentado, murmurando a modo de saludo, pero no había vuelto a hablar. Mientras el coche se movía entre el tráfico de Roma, Nic la miró y se fijó en su vestido elegante, en el moño que se había hecho cerca de la nuca y en el collar de perlas a juego con los pendientes que llevaba. Toda ella, *donna* Francesca.

Recordó cómo había criticado en silencio el vestido que ella había llevado puesto la primera noche que la vio. Era un vestido perfecto para una cena de académicos, pero que no hacía justicia a su sobrecogedora belleza. Sin embargo, aunque el vestido que llevaba en ese momento sí hacía justicia a su belleza, él habría dado una fortuna por recuperar a la mujer que había sido.

«En realidad nunca fue esa mujer. Siempre fue la *donna* Francesca, aunque no te lo dijera».

No tenía sentido pensar en eso… ni recordar lo que había sido o dejado de ser. No tenía sentido hacer nada excepto prepararse para la situación a la que se enfrentaban: Nicolo Falcone casándose con *donna* Francesca di Ristori.

–¿Has pensado algo más sobre nuestra boda? –dijo él de pronto.

Fran lo miró antes de responder.

–En realidad, no.

Le resultaba imposible pensar de forma coherente. Había pasado el día en una especie de nebulosa, tratando de asimilar lo que había decidido hacer. Le resultaba imposible, irreal, tan irreal como ir a cenar al Viscari con Nicolo Falcone.

Fran le había enviado un mensaje de texto a Carla para decirle que Nic la acompañaría aquella noche. Era posible que Cesare ya hubiera informado a su esposa de lo sucedido.

–Por supuesto, puedes elegir uno de mis hoteles –continuó Nic–. A menos que quieras casarte en tu tierra.

Él se percató de que no tenía ni idea de dónde procedía. De algún *palazzo* o *castello*, pero ¿dónde? Tendría que mirarlo. Si consultaba las genealogías de la nobleza italiana conseguiría mucha información sobre su familia. Era un mundo que no conocía y en el que no estaba interesado.

–No –ella negó con la cabeza–. Mi hermana va a

casarse el año que viene... una gran boda. Creo que será mejor celebrarla en uno de tus hoteles. ¿Quizá en alguno del extranjero?

De pronto, recordó el Falcone Nevada, donde después de confundir a Nic con uno de los empleados y viajar con él, le había cambiado la vida para siempre.

Una desgarradora sensación se apoderó de ella.

–¿Qué tal en el Caribe? –preguntó Nic–. Allí hay algunos donde elegir.

–Estoy segura de que cualquiera estará bien –contestó ella–. Yo... Los miraré en Internet.

El coche estaba aparcando frente a la imponente fachada del Viscari Roma. Nic salió y abrió la puerta del pasajero para que Fran saliera.

Él la miró y sintió un nudo en el estómago, tal y como siempre le pasaba cuando la miraba. «*Per Dio,* qué bella es».

Trató de aplacar la reacción. No iba a casarse con ella por su belleza, sino por el bebé que llevaba en el vientre.

El portero los miró consciente de quién era el hombre que estaba entrando en el hotel más conocido de su jefe.

Nic sonrió con sarcasmo. Fran, sin percatarse de ello, se volvió hacia él.

–Hemos quedado con Cesare y Carla en la sala de cócteles.

Nic miró alrededor de la recepción y se fijó en la puerta que llevaba al sótano donde él había trabajado cuando era el empleado de más bajo rango del hotel.

Al entrar a la sala de cócteles y acercarse al *conte*

y a la *contessa,* ellos se pusieron en pie y saludaron a Fran con un beso en la mejilla. Después se volvieron hacia Nic.

–Falcone –dijo él, y le tendió la mano.

Durante un momento, Nic se quedó quieto. Luego, le estrechó la mano sin decir nada. Después de todo, si el *conte* no hubiera querido que él estuviera allí con su exprometida, no habría informado a Nic de que debía ir a hablar con Fran esa mañana.

–*Signor il conte.*

Se estrecharon la mano brevemente y, después, el *conte* le presentó a su esposa, a quien Fran ya estaba saludando cordialmente.

–*Contessa* –la saludó Nic.

Él se percató de que la *contessa* lo miraba con curiosidad.

Nic y Fran se sentaron y el *conte* hizo lo mismo. Por un momento, todos permanecieron en silencio hasta que llegó un camarero con el emblema del hotel bordado en la chaqueta.

–Campari con soda, por favor –Nic oyó que decía Fran.

Al oírlo, un recuerdo invadió su cabeza. Era lo mismo que había pedido la noche que él la conoció. ¿Ella también lo recordaba? Creía que sí, porque de pronto palideció.

Él pidió un Martini y se cruzó de piernas para acomodarse. Estaba allí, en el Viscari Roma, territorio enemigo, relacionándose con *il conte* di Mantegna, el hombre que una vez pensó que iba a casarse con la mujer con la que Nic iba a casarse.

–Francesca y yo estamos tratando de decidir dónde

celebrar nuestra boda –dijo él, tomando el control de la conversación–. De momento, el Caribe es la primera opción. Allí tengo varias propiedades entre las que elegir.

–Parece muy romántico –dijo la *contessa* antes de beber un sorbo de su copa.

No había elegido la mejor palabra, y se hizo un silencio a continuación.

Fran hizo un comentario para salir del paso.

–No conozco el Caribe. ¿Las islas son muy diferentes?

Dio inicio a una conversación anodina que enmascaraba la tensión inherente a la situación. Todas las islas parecían lugares perfectos para casarse. Lugares maravillosos, aceptables y...

Fran se quedó sin palabras para describir el lugar donde Nic y ella iban a unir sus vidas. De forma inesperada. La palabra era inadecuada para describir la situación, ya que la idea se había convertido en realidad esa misma mañana.

Una intensa emoción se apoderó de ella, pero la contuvo. No era el momento, ni el lugar.

Sin embargo, el tema del Caribe había cumplido su función y pronto se encontraron mirando la carta del restaurante e iniciando una conversación sobre la comida y el vino a elegir.

Un sumiller se acercó para ayudarlos a elegir el mejor vino que el Viscari Roma podía ofrecer a sus clientes.

Nic miró al sumiller y, al reconocerlo, levantó la mano para saludarlo.

–Pietro... *ciao*.

El hombre lo miró con un ligero brillo en la mirada, pero simplemente dijo:

–Buenas noches, *signor* Falcone.

Nic sabía por qué, y reconoció su profesionalidad. No obstante, no pensaba ignorar al hombre con el que había trabajado de joven. Pietro en las cocinas y Nic de chico para todo. Su fortaleza física había hecho que fuera ideal para mover muebles, descargar camiones, y levantar cosas pesadas cuando era necesario.

Él sonrió:

–¿Cómo están Maria y los niños?

Pietro se había casado con una de las camareras de habitación del hotel y habían formado una familia.

Pietro asintió, tal y como cualquier empleado habría hecho ante un cliente.

–Están muy bien, *signor* Falcone.

Nic sonrió de nuevo.

–Me alegro.

Sabía que Fran lo estaba mirando de forma inquisitiva. El *conte* miraba como si la conversación no tuviera lugar. La *contessa* lo observaba con curiosidad.

–Recuerda, si algún día quieres cambiar de aires y salir del Viscari, dímelo...

Pietro no contestó.

Nic miró a los anfitriones.

–Pietro y yo nos conocemos desde hace mucho tiempo. Ambos comenzamos a trabajar aquí al mismo tiempo, cuando éramos adolescentes.

Fran estuvo a punto de decir algo, pero una voz que provenía de detrás de Nic se le adelantó:

–Falcone, ¿ha venido a robarme a los empleados, además de a la paisajista?

Nic se volvió hacia él.

–Solo si quieren mejorar su futuro... como hice yo –respondió.

Vito Viscari no se dignó a contestar y continuó preguntando con tono serio.

–¿Y el propósito de su visita de esta noche es cazar talentos?

Su postura corporal indicaba que no era demasiado bien recibido. Nic lo sabía, pero antes de que pudiera contestar, la *contessa* intervino.

–Vito, te dejé un mensaje. Está claro que no lo escuchaste –dijo con naturalidad–. El *signor* Falcone ha venido con Francesca.

–¿Ah, sí?

–Sí –repuso Fran, alzando la barbilla–. Espero que no sea un problema, Vito.

Vito sonrió con profesionalidad. Una sonrisa de las que se dedicaban a los clientes influyentes, como era *donna* Francesca di Ristori.

El resquemor de Nic aumentó tal y como hacía siempre que se encontraba con Vito Viscari. La única vez que no le había pasado había sido un año antes cuando la mitad de las acciones de Viscari estaban en su poder y él había podido asistir a las reuniones de la junta directiva de Viscari y ofrecer una lista de propiedades que pretendía renombrar con la marca Falcone.

La rabia se apoderó de él. Gracias a la suegra de Vito su triunfo se había convertido en cenizas.

–En absoluto –contestó Vito a Fran.

Al darse cuenta de que uno de los sumilleres estaba esperando a que eligieran el vino, Vito miró a Pietro.

–Estoy interrumpiendo... disculpadme –dijo él, antes de mirar a sus invitados–. Disfrutad de la velada –añadió con una sonrisa.

Cuando se marchó, Nic oyó que el *conte* le preguntaba algo a Pietro sobre cierto vino y, al mismo tiempo, se percató de que Fran quería hablar con él.

–No sabía que habías trabajado aquí –dijo ella.

Nic supo que ella estaba recordando la conversación que habían tenido en el motel junto al lago del desierto, y durante la que él le había contado cómo había empezado en la vida. Notaba que otros recuerdos intentaban invadirlo, los recuerdos de todo lo que sucedió en aquel modesto motel.

Nic se esforzó por concentrarse en el presente. Pietro se había marchado a buscar el vino.

–Sí, mi primer trabajo fue aquí, a los dieciséis años. Empecé justo después de que la policía me dejara claro que o trabajaba o me condenaban por pegar al hombre que pegaba a mi madre.

Al hablar también se dirigía al *conte* y a la *contessa*, sin importarle si los asustaba o no.

«No asusté a Fran cuando se lo conté», pensó, incluso después de ver cómo *il conte* se ponía tenso y la *contessa* lo miraba desconcertada. Después ella intervino:

–¿Y viniste a trabajar aquí? Me alegro –dijo–. Mi padrastro, Guido Viscari, siempre estaba dispuesto a ofrecerles un nuevo comienzo a los jóvenes desfavorecidos.

–Oh, sí –dijo Nic–. Estaba encantado de darnos un nuevo comienzo, siempre y cuando supiéramos cuál era nuestro sitio y nos mantuviéramos en él –«y no aspiráramos a adelantar a su apreciado sobrino en su carrera hacia el mando».

–Evidentemente, en tu caso no tuvo éxito –murmuró Cesare.

–Evidentemente no –convino él.

Entonces, el *maître* se acercó a ellos para decirle a *il conte* que la mesa estaba preparada. Todos se pusieron en pie.

–¿Vamos? –le preguntó Nic a Fran, al ver que estaba ensimismada.

Ella se sobresaltó y apoyó la mano sobre su brazo antes de seguir a los demás hasta el comedor. Nic percibió su aroma delicado y estuvo a punto de dedicarle una sonrisa. Sin embargo, otro cliente llamó su atención. Un hombre que trabajaba como periodista en uno de los diarios más destacados. La *contessa* también lo había visto, y Nic recordó que ella también era una especie de periodista.

Nic observó que la *contessa* murmuraba algo a su esposo y que él asentía.

–Era inevitable –contestó *il conte*.

Nic oyó la respuesta y supo a qué se refería.

Inclinó la cabeza hacia Fran y le advirtió:

–Es posible que mañana salgamos en las noticias.

Fran se sobresaltó un poco y la *contessa* explicó:

–No será muy crítico. Conozco su estilo, pero, sin duda, especulará.

–Es posible que filtre la noticia a su colega de las páginas financieras, teniendo en cuenta que Nicolo Falcone está cenando en el Viscari –intervino Cesare.

Fran cerró los ojos un instante. No le apetecía leer

una noticia sobre Nic y ella en los periódicos del día siguiente.

«Debería habérmelo imaginado».

En Roma todo el mundo rumoreaba sobre lo que hacían los demás, y sobre con quién lo hacían. De pronto, se percató de que otras personas también podían haber especulado sobre por qué estaba allí con Nicolo Falcone. Y sus padres podían enterarse.

«No quiero que se enteren así. Tengo que decírselo yo».

Suspiró y miró a Nic.

«Él no es Nic. Es Nicolo Falcone, un hombre rico y poderoso capaz de suscitar interés en los periodistas».

–Será bienvenido –lo oyó decir ella, con una voz que pertenecía al propietario multimillonario y no al hombre que había conocido.

La llegada del primer plato provocó que la conversación cambiara a temas banales. Fran se sintió agradecida, pero no podía dejar de pensar en el hombre que tenía a su lado.

«Nic».

No, no era Nic... Era Nicolo Falcone.

Ella lo miró un instante. El hombre tranquilo y relajado con el que había pasado aquellos días maravillosos en Norteamérica, había desaparecido. El hombre con el que estaba en esos momentos era un hombre poderoso y rico, que apenas sonreía...

Nicolo Falcone, el hombre que estaba haciendo un comentario sobre el retraso que llevaba el gobierno italiano respecto al sistema de alarma en caso de terremoto. Era un tema que Fran sabía que a Cesare le interesaba, ya que su *castello* medieval estaba situado en los Apeninos, un lugar propenso a los terremotos.

–Había pensado en abrir un hotel de montaña allí, pero es demasiado arriesgado –decía Nic.

–Una pena. Esa zona necesita inversiones –contestó Cesare.

Nic lo miró. ¿Se lo había tomado como una crítica?

–¿Y no es responsabilidad de los terratenientes?

¿Es que los aristócratas pensaban que podían gastarse su riqueza heredada sin esfuerzo en sus placeres, y no invertirla en los grandes patrimonios que poseían?

–Sin duda –dijo Cesare–. Yo hago inversiones considerables en la economía local. Mi familia ha estado haciéndolo durante siglos.

Agarró su copa de vino y la luz de la vela iluminó su anillo. Llevaba el emblema familiar en él. Un león agachado, a punto de atacar. Nic notó que empezaba a ponerse nervioso.

–Espero que algún día vayas al *castello* Mantegna con Francesca –dijo Carla–. ¡Es un lugar magnífico! Para mí, su atractivo especial son las obras de arte.

Comenzó a hablar de la colección de su marido y Fran participó en la conversación, comentando algo acerca de lo mucho que había disfrutado de ver las obras de arte cuando estuvo allí la última vez.

Entonces, se calló. La última vez que había estado en el *castello* de Cesare había sido nada más convertirse en su prometida. Ella había ido con sus padres y hermanos para celebrar el compromiso.

«Y ahora resulta que voy a casarme con un hombre completamente diferente. Voy a tener que casarme».

Notó que una mezcla de emociones la invadía por

dentro y se llevó la mano al vientre. Era increíble pensar que un bebé crecía en su interior. Un bebé que sería suyo, y del hombre que estaba a su lado. Un bebé que uniría a ambos.

«¿Hay algo que pueda unirnos?».

La pregunta no tenía respuesta, y quedó suspendida en el espacio que los separaba.

–¿Estás bien? –le preguntó Nic.

Había preocupación en su voz. No era por ella, sino por el bebé que llevaba en el vientre, su hijo o su hija.

–Estoy cansada –admitió ella–. Ha sido un día largo… Quizá pueda tomar café y saltarme el postre.

Todos hicieron lo mismo, y Fran se sintió agradecida. Por fin, la noche terminó y el agotamiento se apoderó de ella. Sobre todo, el agotamiento mental.

Cuando se subió al coche de Nic, ella suspiró.

–¿Qué te pasa? –preguntó Nic al sentarse a su lado.

Fran lo miró.

–Es solo que no estoy acostumbrada a que seas… Bueno, a que seas quien eres.

–¿Y crees que a mí no me pasa lo mismo? –contestó él.

Ella no respondió… ¿qué podría decir?

–Entonces, después de haber sobrevivido a una noche con el ilustre *conte* di Mantegna y su *contessa* –dijo Nic–, ¿cuándo vas a presentarme a tus padres?

–Primero quiero decírselo –explicó ella–. ¡Debo asegurarme de que no se enteran gracias a ese periodista! –suspiró de nuevo. Todo era demasiado complicado. Tan…

«Imposible… Eso es lo que es».

Daba igual que fuera imposible. Debía hacerlo.

–No sé cuándo. En algún momento de esta semana he de regresar a Cambridge, pero quizá pueda ir vía Milán y parar primero en casa. O quizá…

–A lo mejor puedo llevarte –la interrumpió Nic–. Y puedes contárselo conmigo allí. No tiene sentido tergiversar la información. Cuanto antes, mejor. Hay que hacerlo.

Ella cerró los ojos. Sí, había que hacerlo. Tenía que contárselo a sus padres y organizar una boda en algún sitio para que Nicolo Falcone se convirtiera en su esposo y…

Dejó de pensar. Era imposible pensar más allá.

Llegaron al apartamento de sus padres y Nic la ayudó a salir. Para su alivio, él solo la acompañó hasta la puerta.

–Ven a comer conmigo mañana –dijo Nic–. Mandaré un coche a buscarte.

–No quiero comer fuera, Nic. Lo de hoy ha sido suficiente.

Él se puso tenso.

–Tenemos que hablar. Hay cosas por organizar.

–Entonces ven a comer aquí –dijo ella.

Él aceptó y concretaron una hora. Después, él se subió al coche, habló con el chófer y se alejaron.

Cansada, Fran se dirigió al piso de arriba. La noche anterior, a esas horas, había creído que sería madre soltera, y sin embargo…

–Pasa al comedor. Solo hay embutido, pan y ensalada. Espero que no te importe. Siempre le doy vacaciones a la doncella cuando estoy aquí. No la necesito.

Fran lo guio desde la entrada hasta una habitación que él no había visto el día anterior. Allí, había una larga mesa de caoba donde esperaba una comida sencilla, un vino blanco enfriándose y fruta.

Él se sentó donde Fran le indicó. Ella iba vestida con un pantalón y una blusa verde claro con rayas blancas. Llevaba el cabello recogido y no se había puesto maquillaje. Era imposible adivinar que estaba embarazada.

Por un momento, solo un momento, Nic se preguntó si debía pedirle que demostrara que estaba embarazada. Frunció el ceño.

«Quizá fue una falsa alarma... quizá, después de todo, no tenga que pasar por esto».

–¿Qué ocurre? –preguntó Fran, mientras se sentaba en el lado opuesto de la mesa.

Nic empezó a pensar. ¿Le había leído el pensamiento? No, porque ella continuó con la misma frialdad.

–¿Hay algo que no te gusta? –levantó la mano para señalar a su alrededor.

Nic percibió reto en su voz. Una frialdad que nunca había percibido antes.

Él negó con la cabeza.

–Todo es muy elegante.

–Es anticuado –admitió ella–, pero a mí me gusta. No ha cambiado mucho desde la época de mis abuelos. O incluso antes, sospecho –añadió, tratando de aligerar su tono de voz.

Tuvo que hacer un esfuerzo para ello, y enseguida recordó los momentos en que había podido hablar con Nic sin esfuerzo.

Fran señaló la comida.

–Sírvete –le dijo.

Recordaba los picnics que habían compartido durante el viaje. Esos días relajados habían terminado. Ambos tenían cosas importantes que solucionar.

–Creo que tienes razón con lo del Caribe –dijo ella, observando que se servía pan fresco y varias lonchas de salami y jamón–. Es buena idea que nos casemos allí, en uno de tus hoteles. Solo nosotros –lo miró–. Será más fácil para mis padres y... –tragó saliva–, puesto que tú no tienes familia...

Se calló. No había tenido nada de tacto. Él la miró fijamente.

–Por mí, bien –dijo él, y comenzó a comer.

Fue una respuesta lacónica, pero nada parecido a la manera relajada que él tenía de hablar en Norteamérica. Sus palabras expresaban indiferencia.

Ella palideció. Se sirvió un poco de ensalada, pero no tenía hambre. Tenía náuseas.

Y no era debido a su embarazo.

–Va a ser difícil para ellos, Nic. No puedo evitarlo. Una boda rápida no es lo que los padres quieren para sus hijos. Y un embarazo no deseado tampoco es lo ideal.

Él la miró con los ojos azules llenos de rabia.

–¿Te pedí que vinieras a buscarme esa noche en Londres? No me culpes a mí. Tú eres igual de responsable que yo. Te dejé claro que no quería continuar con nuestra aventura amorosa y tú insististe.

Su tono era tan frío como el que había empleado en el ascensor para decirle que no volviera a contactar con él. Ella dejó caer el tenedor.

–No intento culparte. Solo digo que nadie debería tener que casarse por el bien de un bebé que no estaba planeado –cerró los ojos al sentir que la tristeza la invadía por dentro–. Nic, fuiste tú el que insistió en que nos casáramos, no yo –lo miró–. Yo te dije que estaría bien siendo madre soltera...

–Bueno, pues yo no estaría bien.

Empujó el plato de comida. Ya no tenía apetito. Estaba en un gran lío. No quería tener que casarse con la mujer que tenía enfrente. Una mujer que provenía de un mundo que él rechazaba y despreciaba. La mujer que evidentemente consideraba que era un problema, para ella y para su familia aristócrata, tener que casarse con él, un chico de barrio llegado a más.

La miró a los ojos. Ella había palidecido y, por un momento, decidió parar. Sin embargo, sus palabras ya habían salido de su boca.

–Te casarás conmigo, *donna* Francesca. No aceptaré nada más. No volveré a oír nada sobre la maternidad en solitario –entornó los ojos–. Diles a tus padres lo que quieras, no es asunto mío –se puso en pie y añadió–: Mi única preocupación es el bebé que llevas en el vientre. Nada más.

Salió de la habitación con el corazón acelerado.

Fran se quedó temblando, mirando fijamente el plato abandonado. Todo había sido un desastre.

Una intensa y desgarradora emoción se apoderó de ella.

Aquello no funcionaría jamás.

Capítulo 9

NIC SE sentó de nuevo detrás de su escritorio. Se sentía rabioso consigo mismo. ¿Cómo podía haber perdido los nervios de ese modo? ¿De qué servía?

Maldijo en voz alta y se alegró de que nadie pudiera oírlo.

No quería casarse con ella.

«Bueno, no quiero casarme con *donna* Francesca di Ristori, una mujer que tiene una ristra de parientes con los que no tengo nada que ver y que se quedarán horrorizados de que se case conmigo».

Se puso tenso. El problema era quién era ella. Su persona…

En su cabeza apareció el recuerdo de, cuando por un tiempo, ella fue una persona diferente.

Lo ignoró. Ella nunca había sido esa persona. «Nunca». Siempre había sido la misma. La persona que él deseaba que no fuera.

Nic encendió el ordenador. ¿Qué sentido tenía recrearse en lo que no podía cambiar? Tenía trabajo que hacer, así que comenzó a centrarse en el trabajo diario.

No sabía cuánto tiempo estuvo trabajando. Solo sabía que su asistente personal estaba en la puerta de su despacho, tosiendo con nerviosismo.

–Señor Falcone, hay una visita.

Él levantó la vista de la pantalla y frunció el ceño. Apenas cuarenta y ocho horas antes, su asistente le había anunciado la visita del ilustre *conte* di Mantegna, quien había irrumpido para destrozarle el mundo.

–¿Quién es?

–La *dottore* Ristori –dijo la asistente con cautela.

Nic se quedó de piedra. De acuerdo, ¿quería jugar de esa manera? Fingir que no era quien era.

Se acomodó en la silla y le indicó que la hiciera pasar.

Fran entró en el despacho. Llevaba la misma ropa que cuando él había estado en el apartamento, pero parecía tensa.

–Necesito hablar contigo –dijo sin más preámbulos.

Nic se había puesto en pie y le indicó que se sentara en una de las butacas que había junto a una mesa redonda, donde recibía a sus visitas informales.

Con expresión seria, se sentó en la otra butaca y esperó a que hablara. Deseaba saber qué era lo que tenía que decir.

Momentos más tarde, ella habló, y él se quedó en silencio.

–¿Por qué me odias tanto, Nic?

Las palabras quedaron suspendidas en el aire.

Él se puso tenso y frunció el ceño. No era lo que esperaba oír.

–No te odio –contestó.

Ella negó con la cabeza.

–Nic, irradias hostilidad hacia mí como si fueras una estrella convirtiéndose en una supernova. A veces pienso que es porque estoy embarazada y no te ha gustado la noticia, tal y como sabía que iba a pasar. No es solo eso, ¿verdad? Te comportas así desde que Cesare y Vito hablaron contigo en la fiesta de la azotea.

Ella respiró hondo. Había tenido que reunir todo su valor para ir allí y enfrentarse a Nic, pero se había obligado. Si quería que su matrimonio tuviera alguna oportunidad, tenía que enfrentarse a él cuanto antes.

«No permitiré que siga culpándome. ¡No lo haré!».

–Cuéntame, Nic. Dímelo a la cara. ¿Por qué estás tan enfadado conmigo? –respiró hondo y se inclinó hacia delante–. Esa noche por la que me culpas, yo no me lancé a tus brazos. Solo quería hacer las paces contigo porque, tal y como te dije en su momento, nos habíamos separado siendo amigos. No comprendo por qué, el hecho de que hayamos descubierto que tenemos identidades diferentes, ha dificultado tanto las cosas entre nosotros. Quiero que me lo expliques, Nic. De veras.

Fran se apoyó en el respaldo de la butaca, con la respiración agitada.

Él la había escuchado hasta el final, pero por la tensión de su rostro sabía que estaba esforzándose por mantener el control. No le importaba. Fran se había obligado a ir allí y quería respuestas. Respuestas que no había obtenido aquella noche en su hotel. La noche que había provocado que ella tuviera que estar allí en ese momento.

Él la miró. Aquellos ojos azules, que una vez la miraron con ardiente deseo, tenían una mirada glacial, y tan distante como las capas superiores de la atmósfera antes de disiparse en el espacio oscuro y congelado.

–Es muy sencillo –dijo él–. No me gusta quién eres.

–No lo comprendo… –repuso ella.

Nic se aclaró la garganta.

–¡No me gusta lo que representas! No me gusta el mundo del que vienes. No me gusta el mundo del que venís ninguno de vosotros. No me gusta tu apreciado exprometido, el ilustre *conte* di Mantegna, y no me gusta el hombre que es pariente de su esposa… Vito Viscari, ese playboy mimado que ha recibido todo en bandeja sin trabajar para conseguirlo, sin esfuerzo, sin otro motivo que el de haber nacido para ello. No me gusta nada acerca de ese mundo y no quiero tener nada que ver con él, pero tendré que hacerlo, porque tengo que casarme contigo.

Ella lo escuchó en silencio. Después, contestó:

–No puedo evitar ser quien soy, Nic, igual que tú tampoco puedes –lo miró–. Y, si quieres que te diga algo, a mí tampoco me gusta quién eres. Nicolo Falcone. No me gusta nada, y no quiero casarme con él.

Se puso en pie, y se cubrió el vientre con la mano de forma instintiva.

Lo miró. Él permanecía sentado. Era tan extraño… Su aspecto era el de Nic, el hombre que había conocido tiempo atrás. Nic Rossi, con su risa fácil y su carácter relajado. Sin embargo, no era ese hombre en absoluto.

–Somos unos desconocidos –dijo ella–. Y los desconocidos no deberían casarse –respiró hondo–. Adiós, Nic –se acarició el vientre de nuevo, donde el bebé crecía en silencio–. Compartiremos la custodia, Nic. Cuando llegue el momento, pero ahora no puedo soportar esto.

Lo miró y sintió como si un cristal afilado la cortara por dentro. No permitió que le afectara.

–Me marcho –añadió–. Y no trates de detenerme, por favor.

Él no lo intentó. La dejó marchar. Permitió que saliera de su despacho, de su vida.

Que se llevara a su hijo.

Y él no podía moverse.

Capítulo 10

FRAN se subió al minibús del hotel con destino al aeropuerto de San Francisco. Había sido un vuelo largo y lo había hecho después de unos días. Se había marchado de Roma por la tarde, después de enfrentarse a Nic, incapaz de soportar estar allí más tiempo. Había aterrizado en Stanstead y tomado un autobús hasta Cambridge.

A la mañana siguiente, había hablado con su profesor para decirle que debía marcharse cuanto antes, por motivos personales. Había contestado los mensajes de correo electrónico que tenía pendientes y aceptado una entrevista para un puesto de investigación en una universidad de California, que había solicitado cuando descubrió que estaba embarazada de un hombre que no la quería.

Sintió un nudo en la garganta. En esos momentos, era ella quien no lo quería. No al hombre que era.

Al parecer, él seguía empeñado en casarse con ella y por eso le había enviado correos electrónicos y mensajes de texto. También la había llamado, pero ella había ignorado cualquier intento de comunicación.

Porque sabía qué quería decirle. El primer mensaje que había recibido lo decía todo.

Estás muy sensible. Lo comprendo, pero no podemos dejarlo así. Hablaremos cuando te calmes. Por ahora, te dejaré tranquila. Después iré a verte a Cambridge y solucionaremos las cosas. No tenemos más elección que solucionarlas.

Fran había borrado el mensaje. Y todos los demás. Solo le había escrito desde la sala de *Salidas* del aeropuerto de Heathrow. El último mensaje antes de despegar.

Había tomado un vuelo a San Francisco porque quería ir a un sitio antes de dirigirse a Los Ángeles. Un sitio al que debía ir.

Al registrarse en el hotel y oír el acento estadounidense, y que se dirigían a ella como la doctora Ristori, se sintió mejor.

Aunque también la invadieron los recuerdos y no pudo evitarlos. Iban cargados de dolor, y tendría que soportarlo. En ellos aparecía un hombre alto, fuerte, de ojos azules y amplia sonrisa.

Un hombre que había perdido para siempre.

Solo había un lugar donde podría soportar aquello. El lugar al que se dirigía.

Nic miró las palabras en la pantalla del teléfono como si no tuvieran sentido. Y es que no lo tenían. Ningún sentido.

Nic, no voy a casarme contigo. Sería un desastre para los dos. Ninguno de nosotros es quién pensábamos que éramos. Tú no eres el hombre que yo re-

cuerdo, y yo no soy la mujer que tú recuerdas. Estamos mejor el uno sin el otro. Por favor, no intentes hacer que cambie de opinión, porque no lo haré. No puedo. Tenemos más de medio año para solucionar cosas como el régimen de visitas. Estoy segura de que llegaremos a un acuerdo civilizado. Por ahora, no puedo enfrentarme a ello.

Él releyó el mensaje una y otra vez, pero no le encontraba el sentido. Era evidente que casarse era un imperativo. Pero ella, no lo veía. «*Estamos mejor el uno sin el otro*».

Leyó de nuevo. Algo se estaba formando en su interior. Algo que no reconocía, pero que era poderoso. Como si la presión estuviera aumentando dentro de un volcán, un volcán que se pensaba dormido. Equivocadamente.

Releyó la frase anterior: «*Tú no eres el hombre que yo recuerdo*».

Cada vez estaba más tenso. Su teléfono no dejaba de sonar. Era su asistente personal, pero él descolgó para colgar de nuevo con fuerza. Estaba centrado en las palabras y en la tensión que se apoderaba de él. También en la siguiente frase: «*Yo no soy la mujer que tú recuerdas*».

De pronto, sintió como si la presión que se había formado en su interior hubiera provocado una explosión y la lava del volcán estuviera arrasando todo a su paso. Empezó a recordar a la mujer que había pensado que era, y los detalles de cada momento que habían compartido.

Y así, llegó a una conclusión.

Sonó el teléfono de nuevo y contestó.

–Quiero un vuelo a Cambridge, Inglaterra... ¡Ahora mismo!

Fran estaba aterrizando otra vez, en esa ocasión en Las Vegas. Al salir del McCarran se le había formado un nudo en la garganta, como si pudiera verse en aquel verano, con la mochila al hombro, despidiéndose de Nic con un beso rápido...

El coche de alquiler que había escogido no era de lujo. Recordaba cómo Nic había utilizado libremente un coche del hotel, y cómo le había saludado otro de los guardias de seguridad cuando regresaron de ver la puesta de sol en el desierto.

–Buenas noches, jefe.

–Es de mi equipo –le había explicado Nic.

«Sí, tu equipo tiene miles de personas por todo el mundo. Habías sido Nicolo Falcone en todo momento, y yo nunca me di cuenta...».

Salir de Las Vegas era su objetivo, y se alegró de tomar la Ruta 15 para dirigirse hacia el noreste. Tendría que parar a dormir en algún lugar, pero eso no sería problema. El problema llegaría más tarde, cerca de su destino.

El invierno se acercaba y, aunque había visto el pronóstico del tiempo y no era malo, habría nieve por el camino.

Continuó conduciendo, decidida a llegar a su destino.

Nic se estaba aprovechando de ser quien era. Lo sabía, y no le importaba. Estaba utilizando su encanto y su arrogancia para conseguir la información que deseaba. Y que necesitaba.

¿Dónde diablos estaba Fran?

No estaba en Cambridge. La secretaria del departamento lo miraba disculpándose:

–Me temo que acaba de marcharse a California. Creo que para hacer una entrevista.

Él salió de allí. agarró el teléfono y llamó al equipo de seguridad del Mayfair.

–Necesito que busquéis a una persona –les ordenó.

Era una orden sencilla, pero tardó mucho tiempo en recibir respuesta. Y, cuando la recibió, se quedó paralizado. Después, experimentó la primera emoción que había sentido desde que había leído el correo donde ella le decía que se negaba a casarse con él.

Algo a lo que aferrarse.

«Esperanza».

Fran suspiró aliviada. No había encontrado nieve, la carretera seguía abierta y todavía había entradas para el día. Condujo entre el bosque de coníferas y por fin llegó al aparcamiento casi desierto para dirigirse a dónde quería ir.

Para recordar lo que nunca sucedió. Lo que nunca sucedería.

Se sentó en uno de los bancos, abrigada, gracias a la chaqueta de esquiar y a las botas que había comprado por el camino. Durante unos momentos, observó a los senderistas que se preparaban para hacer rutas incluso en esa época del año.

El cielo estaba nublado, pero eso no estropeaba la vista.

Había diez millas hasta el lugar donde había estado en verano. Permaneció allí, pensando en la distancia insalvable que había desde aquel momento hasta el momento en que se encontraba.

«No podemos regresar. No podemos recuperar lo que ha terminado. Ese momento pertenece al pasado».

¿No era eso lo que se había repetido durante los meses posteriores? Debía recordarlo. No tenía alternativa. Ese viaje lo había realizado por un único motivo. Para despedirse de aquel momento. Para dejarlo marchar.

Para dejar marchar a Nic, el hombre del que había ido a despedirse.

En silencio, se cubrió el vientre con la mano y después habló con la criatura que llevaba en su interior. Nadie, excepto los senderistas que pasaban por allí, podía oírla, así que dijo en voz alta las palabras que necesitaba decir. A la criatura que necesitaba decírselas. Sobre el hombre del que quería hablar.

–Te he traído aquí para poder contarte, en los próximos años, que he llegado hasta aquí. Yo sola... contigo. Y quiero que sepas que una vez estuve a diez millas de aquí, sin ti. Quiero que sepas, hijo mío, o hija mía, que fue el momento más importante de mi vida, pero que entonces, yo no lo sabía.

Pensaba que estaba a solas, que nadie, excepto la criatura que crecía en su interior, podía oírla.

Se equivocaba.

Oyó que alguien hablaba detrás de ella.

–Yo tampoco lo sabía.

Fran se quedó boquiabierta. Al instante, reconoció aquella voz grave cargada de emociones.

Miró a su alrededor, sintiendo que se iba a desmayar de la sorpresa.

Era Nic.

Capítulo 11

FRAN se puso en pie y preguntó:

–¿Cómo...? –era algo irrelevante.

Él se acercó a ella. Llevaba una chaqueta de esquiar y unas botas que hacían que sus pisadas sonaran con fuerza.

–Mi equipo de seguridad te ha encontrado –le dijo–. Son muy buenos en su trabajo. Siempre me alegró que pensaras que yo era uno de ellos.

–Me dejaste creerlo –dijo ella, incapaz de creer que Nic estuviera allí.

–Igual que tú dejaste que creyera cosas sobre ti.

Ella suspiró.

–Era lo que ambos queríamos en esos momentos.

–Ah, sí –dijo Nic, con las manos en los bolsillos de la chaqueta–. En esos momentos... ¿Y ahora? ¿Ahora qué es lo que queremos?

Ella bajó la mirada y habló con tono de tristeza.

–Cosas distintas. Imposible reconciliarse. Tú te estás obligando a casarte conmigo, y yo no quiero. No quiero casarme con un hombre que odia todo acerca de mí. Un hombre que no me gusta por ese motivo.

–¿Es eso?

–¡Sí! –¿cómo era posible que estuvieran manteniendo esa conversación allí, a kilómetros de distancia de Roma? Una conversación que era una pérdida de tiempo, y de esfuerzo–. Oh, Nic, no deberías haber venido. No servirá de nada. No cambiará nada. Sigues siendo Nicolo Falcone y yo sigo siendo *donna* Francesca. Somos dos desconocidos que odian lo que es el otro. Unos desconocidos que han creado un hijo por error.

Él asintió. Estaba manteniendo el control, porque era fundamental que lo hiciera. Igual que lo había hecho durante el viaje, durante el vuelo hasta Salt Lake City, el lugar que estaba más cerca de allí, para llegar a tiempo.

Ella había volado hasta San Francisco y después a Las Vegas. Allí había tomado el coche de alquiler. Le había preguntado el horario de invierno al empleado, revelando así cuál sería su destino. Dándole la oportunidad a Nic de que llegara allí a tiempo.

Para decirle lo que tenía que decirle.

Aquello de lo que tantas cosas dependían.

«Más de lo que me podía imaginar. Hasta que ella se marchó de mi lado».

–Sí –dijo él, apretando los puños dentro de los bolsillos–. Dos desconocidos. La aristócrata *donna* Francesca y el nuevo rico Nicolo Falcone. Sin embargo, hay dos personas que no son desconocidas.

Hizo una pausa. Solo tenía una oportunidad y no quería estropearla.

–Dos personas –continuó sin dejar de mirar a Fran–, que se conocieron como extraños, pero que se separaron como amantes. Nic Rossi y la doctora Fran.

«La doctora Fran». Al oír que él la llamaba de manera cariñosa, Fran experimentó algo en su interior.

Quería expresarlo, pero permaneció en silencio, incapaz de moverse, incapaz de hacer nada excepto escuchar lo que él le estaba diciendo.

Nic la miraba fijamente para que lo escuchara. Para que creyera lo que él le estaba diciendo, lo que debía decirle.

–Fran, ¿por qué crees que cuando nos conocimos no nos contamos quiénes éramos en realidad? ¿Por qué queríamos ser la persona que fingimos ser? Porque no queríamos que nos juzgaran por el resto de lo que éramos. ¡Queríamos liberarnos!

Ella lo miró mientras asimilaba sus palabras. Después, contestó.

–En Norteamérica nunca fui *donna* Francesca. No lo necesitaba. Podía ser yo misma –lo miró–. La persona que habría sido de no ser porque nací donde nací. Nadie esperaba que me casara con un hombre como Cesare, para convertirme en *contessa*, para cumplir los sueños de mi madre en lugar de los míos.

Él asintió, sin dejar de mirarla.

–Me gustó que pensaras que era un miembro del equipo de seguridad. Eso significaba que no tenía que ser Nicolo Falcone, y que podía dejar de demostrarle al mundo que podía superar a Viscari.

–Recuerdo que dijiste que aceptar el universo tal y como es, era derrotista.

–Y yo recuerdo el fuego que había en tu mirada cuando me hablabas de las estrellas. La pasión que había en tu voz. Y no solo por las estrellas.

–Eso ha terminado –dijo ella–. Lo dejaste claro la noche que fui a verte al hotel.

–Se lo estaba diciendo a *donna* Francesca –Nic se

estremeció–. Utilicé el hecho de que fueras *donna* Francesca para alejarte de mí –negó con la cabeza–. Ese no era el motivo. Me estaba mintiendo. Y a ti también. Durante toda mi vida he temido ser lo que mi padre era... Un hombre que abandonó a mi madre cuando estaba embarazada de mí. Por eso he insistido tanto en que nos casáramos. Toda mi vida me he prometido que no sería como él. Y la manera de conseguirlo era no permitir que ninguna mujer se apegara demasiado a mí. Siempre me he separado de las mujeres agradeciendo que no dependieran de mí, que no esperaran recibir lo que yo no me atrevía a ofrecerles. Y eso es lo que hice contigo, lo mismo que había hecho con otras mujeres que habían pasado por mi vida –respiró hondo–. Excepto que tú no eres como esas mujeres. Desde el principio, fuiste diferente. Especial. Distinta de todas las demás.

Hizo una pausa y la miró de nuevo.

–Entonces, cuando volví a verte aquella noche en Londres, experimenté algo que no había experimentado nunca. Hiciste que el resto de las mujeres desapareciera de mi pensamiento, y eso me demostró que estaba en peligro... Y tuve que buscar una excusa para mantenerte al margen. Aproveché que había descubierto tu verdadera identidad para conseguirlo.

Fran entornó los ojos. Tenía que enfrentarse a su propia verdad. Esa que había ocultado de sí misma.

–La noche que fui al hotel me dije que solo quería hacer las paces contigo... que no podía soportar tu rechazo hacia mí, solo porque no te había contado la verdad acerca de mí misma, porque parecía tan amiga de Vito Viscari. Me estaba mintiendo a mí misma.

Ahora lo sé. Fui a buscarte por un único motivo. Fui a buscarte porque lo primero que sentí al volverte a ver fue alegría, Nic. Una alegría sobrecogedora. Y quería encontrarte otra vez... encontrar al Nic que había conocido aquí. Por eso fui a buscarte esa noche... Ese es el verdadero motivo que traté de negarme.

Una intensa emoción se apoderó de ella. Apenas podía respirar. Tampoco mirar a Nic.

Se alejó de él y miró a lo lejos. Al lugar donde una vez habían estado juntos, agarrados de la mano.

Nic habló desde detrás.

–Al final nunca fuimos a la orilla norte, ¿no? Ahora estamos aquí.

Ella no contestó. Él se acercó a su lado y repitió:

–Ahora estamos aquí.

Fran permaneció en silencio.

–¿Qué son unos nombres? Nic Rossi o Nicolo Falcone. La doctora Fran o *donna* Francesca. ¿Qué son los nombres comparado con quienes somos? ¿Y por qué esos nombres han de aprisionarnos? ¿Por qué he de permitir que los miedos de mi madre sean míos? ¿Por qué iba a hacer lo mismo que hizo mi padre y abandonar a mi propio hijo? Si pienso que es derrotista creer en el universo como es, entonces es más derrotista que piense que podría llegar a ser como mi padre.

Nic respiró hondo y continuó.

–Por eso te dejé marchar, diciéndome que era lo correcto. Y no fui a buscarte otra vez.

Fran pensó bien las palabras antes de hablar.

–Pensé en contactar contigo otra vez, pero no te encontré... Y tú no contactaste conmigo. Tuve que aceptar que había terminado, que tenía que continuar con mi vida. Me dije que tú eras lo que confirmaba mi decisión de no casarme con Cesare. Me dije que, como olvidarme de Cesare me había resultado fácil, olvidarme de ti también sería sencillo…

Se calló un instante.

–No fue fácil. No lo es –lo miró–. No fue fácil decirte que no me casaría contigo.

–¿Y por qué no te preguntas por qué no te resulta fácil? –preguntó él, necesitando una respuesta.

Ella no podía dársela. Había empezado a llorar en silencio y no podía parar.

–Tu respuesta es la misma que yo podría darte –dijo Nic–. La respuesta que me ha traído hasta aquí para reunirme contigo. Es el mismo motivo por el que he venido, para dar respuesta a la misma pregunta. He venido al destino al que nunca llegamos durante nuestro viaje juntos –Nic le agarró la mano y entrelazó los dedos con los de ella–. El destino al que hemos llegado ahora. Aquí… –hizo una pausa–. Juntos.

Fran no pudo contener un gemido, y tampoco pudo evitar apretar la mano de Nic con fuerza. Él se giró y la abrazó, permitiéndole que llorara contra su pecho.

–No me dejes. No soportaría que me dejaras –dijo él, abrazándola con más fuerza.

Sus palabras provenían de lo más profundo de su ser. De un lugar que no sabía que existía.

Ella no podía hablar con palabras, pero le acarició el cuerpo por encima de la chaqueta.

–Fran, estos somos nosotros. Los verdaderos. Lo sentíamos cuando estábamos juntos, pero no lo sabíamos. Permitimos que la vida nos llevara por caminos distintos, pero no deberíamos haberlo permitido.

Él la guio hasta el banco para que se sentara. Después se acomodó a su lado y le rodeó los hombros con un brazo. Ella ocultó el rostro contra su cuello y empezó a llorar de forma descontrolada.

Él besó su cabello dorado.

–¿Quieres que lo diga yo primero? ¿Quieres que diga la verdad a la que no pudimos enfrentarnos por no ser capaces de verla?

Nic se movió para que Fran levantara la cabeza, y la miró fijamente con sus ojos azules.

–Dijiste que juntos éramos un buen equipo, pero éramos mejor que buenos. Estábamos hechos el uno para el otro, como dos personas que deberían pasar el resto de su vida juntos. Eso es lo que teníamos, lo que veíamos en el otro, pero nunca nos atrevimos a decir. Hoy sí, te lo digo en voz alta. Aquí y ahora. Lo sé, Fran, con cada fibra de mi ser. Sé que tú también lo reconociste, y que todavía lo reconoces –hizo una pausa–. Siempre lo harás, porque volvemos a estar hechos el uno para el otro. Hechos para el amor.

Le sujetó el rostro entre las manos y la miró fijamente.

–El amor entre Nic Rossi y la doctora Fran, y sí, el amor entre las personas que somos, si podemos aceptarnos el uno al otro. Nicolo Falcone y *donna* Francesca. Ellos también pueden amarse. Sé que tu familia apenas me aceptará. Fui un chico de barrio que se crio sin padre y se hizo a sí mismo...

Ella le cubrió los labios con la mano para que se callara. La alegría se había apoderado de ella, pero necesitaba hablar.

–¿Cómo puedes decir eso? ¡Eres multimillonario!

Probablemente superas la riqueza de mi padre. No quiero que me desprecies por haber nacido donde he nacido. No puedo evitarlo, igual que tú tampoco.

–Lo sé, pero yo he tenido que luchar por todo lo que tengo, y siempre he odiado a los que lo han recibido en bandeja. Y a lo que representan. Todo lo que representa Vito Viscari. Lo he odiado desde el momento en que apareció recién salido de la universidad y su tío le dio el puesto de dirección para el que yo me había esforzado durante años. Desde el momento en que su suegra le devolvió las acciones que yo le había arrebatado con mi oferta.

Fran apoyó la cabeza en su torso y notó el fuerte latido de su corazón. De pronto, levantó la cabeza y dijo:

–Nic, has de dejar de tener esos sentimientos –le agarró la mano derecha y la metió bajo su chaqueta para que sintiera el calor de su cuerpo–. Es nuestro bebé, Nic. Nuestro bebé nacerá con sus dos legados. Su abuelo será un *marchese*, su bisabuelo un duque y, además, heredará tu dinero. ¿Vas a despreciarlo también por las circunstancias de su nacimiento?

Ella negó despacio, y recibió la respuesta en silencio.

–¿Lo ves?

Le cubrió la mano con la suya, protegiendo al bebé que crecía en su interior. Un bebé que habían creado entre los dos.

«Nuestro bebé es real. Y está creciendo aquí».

No podía estar más agradecida.

«Un bebé… una madre… un padre. Una familia».

Sintió un nudo en la garganta y se apoyó en Nic.

Después de las lágrimas, la había invadido un sentimiento de paz.

Había ido allí, al destino al que no habían conseguido llegar durante su viaje, para despedirse de Nic. Sin embargo…

La alegría se apoderó de ella. ¿Era cierto que podrían permanecer unidos?

«Hemos conseguido que se haga realidad. ¡Ahora también estamos juntos de verdad! Nic y Fran… Nicolo y Francesca. Somos la familia que seremos cuando nazca nuestro bebé».

El amor la inundó por completo. Amor por su bebé, amor por el hombre con el que lo había creado. Un amor que nunca había conocido y que no pensaba que llegaría a sentir. Sin embargo, se había prendido en su interior como una llama que no se podría apagar.

–¿Estoy soñando? –le preguntó, mirándolo a los ojos.

Nic la miró fijamente y Fran percibió que él estaba sintiendo lo mismo que ella.

–Me llames como me llames, estaré a tu lado. Mi querida, mi bella y exquisita *donna* Francesca y mi ardiente doctora Fran, que consigue que el cielo arda con su pasión y que yo también.

Ella le sujetó el rostro con las manos y le acarició los labios con el pulgar.

–Te dije que no me gustabas, Nicolo Falcone, pero no era verdad. Sigues siendo Nic y siempre lo serás. Nic Rossi, el hombre del que me enamoré la primera vez que se acercó a mí. Y si entonces te respeté y te admiré… después de saber cómo has salido de tu dura infancia, te admiro y respeto mucho más. Has luchado muchas batallas y las has ganado todas.

–No fui capaz de arrebatarle las acciones a Viscari.

–Me alegro de que no lo hicieras. No tienes que demostrarle nada a nadie. Deja que Vito tenga sus hoteles y tú los tuyos. Nic, yo sé que todo el mundo necesita destacar. En mi campo, yo sé que no tengo que demostrar que soy mejor que otros investigadores. Solo tengo que descubrir un poco más acerca del universo, algo que no sepan otros, para poder escribir mi último trabajo. No ha de molestarme que otros investigadores hagan lo mismo con su conocimiento –cambió el tono de voz–. ¡No tienes que demostrarle nada a Vito! Tienes un imperio fabuloso y lo has construido tú mismo, con tu talento y esfuerzo. Ahora, disfrútalo –sonrió–. Disfrutemos de todo, Nic… De todo lo que nos ha concedido la vida. Yo también he ganado mis propias batallas. He conseguido mi carrera de investigación, y ahora…

Se calló, le agarró la mano y la colocó de nuevo sobre su vientre.

–Ahora tengo mucho más. ¡Tenemos mucho más! Nos tenemos el uno al otro y al bebé. El bebé es lo que nos ha vuelto a unir, Nic, ¡y se merece más que unos trabajos de investigación y unos hoteles de lujo!

Él la miró.

–Mi querida y sabia mujer.

Él le acarició el vientre hasta llegar a sus senos hinchados y ella sintió que se le aceleraba el corazón.

Nic murmuró su nombre y la besó con delicadeza, jugando con sus labios, separándoselos de manera sensual.

Fran susurró su nombre y entornó los ojos. Lo deseaba. Deseaba todo lo que él anhelaba. Siempre.

De pronto, él la tomó en brazos, giró y se puso a caminar.

–¡Nic! ¿Dónde vas?

Él la miró con deseo.

–A pedir una habitación en el hotel. ¡Ahora mismo!

Ella se rio.

–Está cerrado durante el invierno. En esta época del año solo se puede visitar durante el día.

Nic la dejó en el suelo y la miró con incredulidad. Después, la abrazó y dijo:

–Tendremos que encontrar un sitio fuera del parque.

Ella dio un paso atrás y sacó las llaves del coche del bolso.

–¡La primera persona que llegue al motel calienta la cama! –dijo ella, corriendo hacia el aparcamiento.

Nic la alcanzó antes de que abriera la puerta del coche.

–Iremos en el mío. Mandaré a alguien para que venga a recoger tu coche. A partir de ahora… –la miró y ella sintió que se derretía por dentro–. A partir de ahora, vayamos donde vayamos, mi adorada Fran, iremos juntos.

La tomó en brazos y la metió en su coche antes de sentarse al volante.

–¿Preparada para comenzar nuestro nuevo viaje? –preguntó él, y se inclinó para besarla, para sellar la unión que los mantendría juntos para siempre–. El viaje que durará toda la vida y hasta la eternidad.

Ella suspiró de felicidad y dijo:

–Vamos allá donde nos lleve el camino.

Ella sonrió, con amor en su mirada, y en su corazón. Nic, «su Nic», sería suyo para siempre. El hombre que sabía que amaba y que siempre amaría.

–Juntos. Siempre juntos.

Él arrancó el motor y sonrió.

–Me parece bien –comentó relajado–, pero pararemos en el primer motel que encontremos, ¿de acuerdo?

Fran se rio.

–¡Por supuesto! –convino ella–. En el primero que veamos.

Epílogo

EN EL amplio salón del Beaucourt Castle hacía mucho frío, a pesar de que la chimenea estaba encendida.

Fran y Nic estaban recién llegados y se acercaron al hombre mayor que se hallaba junto a la chimenea. Fran lo besó en la mejilla y, después, saludó a su tía, su tío y sus primos.

–Entonces –anunció el Gran Duque de Revinscourt–, crees que vas a casarte con mi nieta, ¿no?

–Sí –dijo Nic.

–¡Umm! He oído que tienes mucho dinero, pero nada de todo lo demás.

–No –convino Nic.

–¿Hoteles?

–Sí.

–Y pretendes celebrar la boda en uno de ellos, ¿no es eso?

–No quiero competir con la boda de Adrietta –intervino Fran–. Así que Nic me ha dado a elegir entre todas sus propiedades.

–Ella ha elegido uno que está en una isla privada del Caribe.

–¿En el Caribe? ¿Qué tiene de malo lo que hay por aquí? Mayfair, según me han dicho, es adecuado.

–El Caribe es más cálido en esta época del año –explicó Nic.

–Bien, ¡no esperéis que yo vaya allí. ¡No a estas alturas de mi vida!

–Lo comprendemos, abuelo –dijo Fran, sin mencionar que ese era uno de los motivos para hacerlo allí–. Haremos una fiesta de compromiso en el Falcone Mayfair, y allí sí nos gustaría verte.

–Umm... En el Falcone, ¿no? Fran hará lo que quiera, esta nieta mía... Igual que hizo su madre. Se casará con quien quiera y hará lo que quiera. Una doctora en astrofísica... ¿Para qué sirve eso? Igual que ya hay suficientes hoteles en el mundo, en mi opinión. No obstante, si os queréis es suficiente –miró a su nieto Harry–. Además, este joven idiota que algún día gobernará en este lugar dice que te ha fichado para el rugby. Sin duda, serás un buen delantero. Justo lo que necesitamos.

Harry sonrió.

–El castillo contra el pueblo, el derbi anual. El pueblo siempre nos gana. ¡Tú vas a ser nuestra arma secreta!

–Encantado de ser útil –contestó Nic.

Apretó la mano de Fran y ella sonrió. Nic había sobrevivido con éxito, igual que había hecho cuando le presentó a sus padres.

En lugar de encontrar desdén y desaprobación como esperaba, el *marchese* le había estrechado la mano con fuerza y, enseguida, le había pedido consejo acerca de cómo transformar un *palazzo* que apenas utilizaba en un lujoso hotel.

Tonio, el hermano pequeño de Fran, le había dicho que le encantaba tener un cuñado con antecedentes, y que no podía esperar a contárselo a su primo Harry. Adrietta, la hermana de Fran, le había dicho que estaba decidida a pasar la luna de miel en el Falcone Seychelles, porque lo había visto en Internet y le había parecido maravilloso.

En cuanto a la madre de Fran, lady Emma, simplemente había exclamado:

–¡Gracias a Dios que Francesca ha aceptado casarse con alguien! –y le había advertido que no permitiera que lo abandonara.

–No, querida mamá –le había dicho Fran, dándole un beso en la mejilla–. No lo haré, porque quiero a Nic y él me quiere a mí.

Entonces, respirando hondo, les explicó el motivo por el que querían subir al altar antes que Adrietta.

La madre de Fran reaccionó con entusiasmo al oír la noticia y el padre estrechó de nuevo la mano de Nic, al enterarse de que iban a ser abuelos.

Para su sorpresa, Nic se dio cuenta de que su presencia en la familia di Ristori iba a ser bienvenida.

Igual que era bienvenido entre los miembros de la familia materna.

La tía de Fran dio un paso adelante y dijo:

–Vamos al estudio. Se está mucho más calentito, y ¡ya es hora de brindar por esta pareja!

Acompañando a su irascible suegro, los guio hasta el estudio y acomodó al duque en una butaca junto al fuego.

Nic y Fran se miraron en silencio unos instantes.

–Te dije que al abuelo le caerías bien –susurró ella–. A pesar de sus maneras, le gustan las personas que no se dejan acobardar por él. ¡Y espero que a ti también te guste mi familia! Ya sabes que no pueden evitar ser aristócratas –dijo Fran con una mezcla de humor y cansancio en la voz.

–Haré lo que pueda para ignorar sus desafortunados orígenes.

Fran lo miró muy seria un instante y después se rio y le dio un suave puñetazo en el pecho.

–Ahora lo único que tienes que hacer, aparte de intentar no referirte a Cesare como «el ilustre *conte*», en ese tono irónico que siempre empleas, es hacer las paces con Vito Viscari.

Nic se puso serio de repente.

–Nic, no puedes seguir enfrentado con él para siempre. Vito no es responsable de haber heredado los hoteles, ni de que su tío le otorgara el puesto que tú querías y para el que te habías esforzado... Por cierto... he estado hablando con Carla y Eloise y... Sí, no pongas esa cara.

–¿Qué habéis tramado?

–Bueno... –dijo ella–, hemos pensado que Vito y tú deberíais empezar un programa para apoyar a los jóvenes desfavorecidos, como fuiste tú, Nic, y formarlos en todos los aspectos de la hostelería. No solo en cosas como cocina y mantenimiento, sino en dirección y finanzas.

–La Fundación Falcone... –dijo Nic, entornando los ojos.

–Bueno, supongo que debería ser la Fundación Viscari-Falcone –repuso Fran.

–Querrás decir la Fundación Falcone-Viscari –la corrigió Nic.

–¡Lo que sea! Podéis hablarlo, o montar dos fundaciones. No importa. Lo que importa es que cooperéis por una causa común. Eso es lo que te convirtió en el hombre que eres. Un hombre bueno. Muy bueno.

Nic oyó que le temblaba la voz y la besó.

–Tú me has hecho bueno, *mio amore*.

Ella lo miró y sintió que su corazón se inundaba de amor. El resto del mundo desapareció.

Entonces, oyó una voz a su lado:

–Guardad los arrumacos para luego, jovencitos, y tomad un poco de champán –su tía les entregó dos copas y, después, miró a su sobrina dubitativa–. ¿Tú puedes? Esta mañana me ha llamado mi cuñada. Estaba entusiasmada porque va a ser abuela.

–¿Cómo? –preguntó Harry–. Sí que te has dado prisa, Falcone. ¡Más champán para mí! –exclamó, y agarró la copa de Fran.

Después miró a Nic.

–No te excedas con el champán esta noche. Mañana a primera hora hay un entrenamiento. Necesitamos ver cuál es la mejor posición para ti. Pensamos que delantero, pero…

Fran le cubrió la boca con la mano.

–Calla, Harry.

–Está bien –dijo él–. Cuéntame algo sobre esa isla donde vais a celebrar la boda. No puedo esperar para salir de fiesta allí.

Fran se rio.

–No será con nosotros, Harry. Nosotros estaremos de luna de miel en el otro extremo de la isla. Un lugar privado –le advirtió con una sonrisa.

Su tío se acercó con un vaso de zumo de naranja para Fran. Después, el marqués pidió silencio.

–Creo que mi padre tiene que decir unas palabras.

Todo el mundo se volvió hacia el duque.

–Por favor, alzad las copas para dar la bienvenida al nuevo miembro de nuestra familia. Ha demostrado ser lo bastante sensato como para elegir a mi nieta como esposa, y solo por eso le doy mi aprobación.

Todos se rieron.

–En cuanto a mi nieta, cualquier hombre que pueda empezar de la nada y terminar con más de lo que tiene cualquiera en esta familia, ha de tener algo especial. Y sea lo que sea, mi nieta ha sido capaz de verlo, desearlo y querer casarse con él por ello.

Respiró hondo y brindó por ellos.

–Por Francesca y su futuro esposo. Y también por mi próximo descendiente... ¡Mi biznieto!

Todo el mundo brindó con ilusión. Después, Fran se volvió hacia Nic y lo miró con alegría.

–Por nosotros, Nic. Por ti, por mí, y por nuestro precioso bebé. Unidos para siempre.

Nic la miró.

–Por todos nosotros.

Chocaron las copas y dijeron al unísono.

–Por el amor.

Por el amor eterno.

El sol se estaba ocultando en el Caribe. Nic y Fran estaban agarrados de la mano mientras el oficiante pronunciaba las palabras que los unirían en matrimonio.

Justo detrás de ella, Fran oía a su madre llorar bajito. Sabía que su padre también tendría los ojos humedecidos. Aparte de su anciano abuelo, el duque, toda la familia estaba allí. Tanto por parte de su padre, como por parte de su madre, y aunque ella sabía que habían ido por ambos, Fran había hablado con Nic antes de la ceremonia.

–Quiero que esto sea también para tu madre, Nic. La madre que te crio y educó para que fueras el hombre que eres. Un hombre fuerte, valiente y decidido. Quiero... quiero que también sea para el padre que nunca conociste. No sabemos qué motivos tenía para abandonaros... Solo sé que tú vas a ser el padre de nuestro hijo que él debería haber sido. Tu hijo y sus hermanos se sentirán orgullosos de su padre. Te querrán, Nic. Lo haremos juntos. Y si nuestros hijos se convierten en astrofísicos como yo, o en propietarios de hoteles como tú, o en algo completamente diferente, los querremos toda la vida. Igual que nos querremos el uno al otro.

Las palabras de Fran retumbaban en su cabeza y Nic sonrió. Entonces oyó que el oficiante decía lo que todos los enamorados desean oír:

–Puede besar a la novia.

Y eso fue lo que hizo Nic. Besar a Fran con delicadeza y pasión. Y Fran, su querida esposa, la mujer que le cortaba la respiración cada vez que lo miraba, lo besó también, mientras el sol del atardecer los bañaba con su gloriosa luz.